新潮新書

山本真司
YAMAMOTO Shinji

40歳からの仕事術

058

新潮社

はじめに

いまや書店のビジネス書コーナーは、ビジネススキル本の図書館の様相を呈している。

「英語力」「戦略思考」「書く技術」「質問技術」「図解技術」「時間管理術」などなど——。これまで、ちょっと恥ずかしげに控えめな脇役を演じていたビジネスノウハウ本が、堂々と主役の地位を占めつつある。

先日、会社に近い行きつけの本屋で面白い光景を目撃した。筆者と同じ40代半ばぐらいのサラリーマンが、じっと立ち読みにふけっていた。他人の読んでいる本というのは妙に気になるもので、タイトルを覗き見した。案の定「××術」の類のビジネススキル本だった。数分の後、彼は結局何も買わずに立ち去った。ビジネスノウハウ本を本気で読むことに、抵抗感があったのではなかろうか。

筆者は若いころほんの数年日本企業に勤め、その後14年間外資系コンサルティング会社に在籍している。

最近、40代で日本企業から転職した方々と仕事をする機会が多い。不思議なことに、10人中7〜8人までが同じことをおっしゃる。「マクロの業界の動きと、ミクロのビジネスについての見識には大きな自信がある。しかし君らコンサルタントのように、紙に書いたりプレゼンしたりはできない」という趣旨の発言である。

「中途半端」、我々40代の日本のビジネスパーソンには、そんな言葉が宿命的に付きまとっているのかもしれない。

いまさら、ここ数年でブームになった「ビジネススキル」を勉強するのは気が引ける。これほどメジャーになるとは思っていなかったMBA（経営学修士）や、いま注目されている法科大学院で勉強するには手遅れだ。まだまだビジネス人生には先があり、新しいスキルも重要だとは感じている。しかし現状では、時代の要請と自分の力が中途半端な組み合わせになってしまった。

筆者は14年前、新しいビジネススキル習得の必要に迫られた。コンサルタントとして

はじめに

の基本素養を身につけるためであった。"アップ・オア・アウト"（成長しろ！ さもなければ首だ）という過酷な環境の中で、自分にまるで欠けていたスキルを必死で学ばねばならなかった。そしてある程度自分の型が見えてきた数年前からは、逆に若手やクライアントの方々に仕事を通じてビジネススキルを伝える立場になった。

そんな折、40代半ばのサラリーマン——仲の良いクライアントの方から、ビジネススキルを教えてくれという依頼を受けた。そうは言っても、筆者の本業は企業に対するコンサルティングであり、教育ではない。多大な料金を受け取ってクライアントを教育するのも非現実的である。時間もない。

そこで、思いつくままにいろんな分野でアドバイスをしようとプログラムを考えた。周りから見れば単なるおしゃべりにしか見えないが、講義場所はお昼休みのレストランであったり、一杯引っ掛けながらの赤提灯だったり、一緒にたずねた書店だったりした。

この課外授業から、２つの発見があった。①典型的な40代のサラリーマンはちょっとしたアドバイスで、十分に新しいビジネススキルを身につけられるだけの潜在能力を有している。②ただし、日常の業務や家庭生活に忙しく体力も下り坂の彼らには、「戦

略」という考え方が一層重要となる。この２つである。
「戦略」という言葉はいろいろな意味で使われる。筆者の定義は、「明確な資源制約のなかで活動成果を最大化するために、資源投入の優先順位を明確にすること」＝「有限な資源の限界に悩む企業・個人においては、何をするかを決めるだけでなく、そのために何をやらないかを決めること」＝「捨てる意思決定」である。

40代が学習に割ける時間はほんのわずか。最大限の効果を得るための「戦略」の立案なしに、現実的な学習は不可能である。40代の「普通」のビジネスパーソンは、変わらなければいけないという問題意識を感じていると思う。しかし世の中にはまだ、この世代にとって有効な手法が登場していない。変革への意欲は、単なる「変身願望」に堕ちてしまっているのかもしれない。

筆者が書店で目撃したサラリーマン氏も、案外こんなところかもしれない。これではいけない。実務に精通し会社の中核を支えるわが同胞が自覚的に変身を遂げることによって、日本企業は本当に変身できる。そのために、筆者も何かをしなくてはいけない。そんな思いから本書を書き下ろした。

はじめに

本書には、ビジネススキル本的な項目が並ぶ。MBA教育の本質から始まり、英語学習法、考える技術、分析技術、コミュニケーション技術、時間管理術、人間関係構築術──。類書と大いにスタンスが違うのは、これらについて一本大きな筋を通していることである。そう、「戦略」の視点の貫徹である。何を捨てて、何を優先するか。こういった思想を明確にした、教科書的な世界からは一線を画した実践「変身指南書」を意図した。

40代の方々にものを教える必要はない。すでに持ち合わせている星雲状態の知識、経験の星屑を、一気に並べ替えて体系化する。そんな体験をしていただくための、いくつかの切り口やヒントを提示したつもりである。なお臨場感を醸し出すために、すべて物語形式にした。もちろん物語はフィクションであり実在の人物、組織とは一切関係ない事は言うまでもない。

すでに、40代の新経営者も大企業に現れている。これからも各方面で多くの40代が、日本を変えるために重要な任務を果たすことになると信じている。いや、いま我々が立ち上がらなければ、日本の復活はまた遅れる。

40代ビジネスパーソンの総決起のために、本書がほんのささやかでもお役に立てばありがたい。読者の中から、多くの次世代リーダーが生まれることを祈念している。では、普通の40代が自分を変える物語を存分にお楽しみください。

40歳からの仕事術――目次

はじめに 3

序　章　終末と始まりの予感　13

第一章　MBA不要論　20
「戦略」とは何か／MBAの真価／増えすぎたMBA／戦略的英語学習法／語彙力で勝負／変革真空層の40代／新橋ビジネススクール開校！

第二章　自立するための思考法　46
自分の頭で考える／コロンブスの卵の原理／考える＝イマジネーション／三悪追放／異分野からの刺激／過去を捨てる勇気

第1回講義まとめ 74

第三章　本質をえぐる分析技術 76

新たなる挑戦／常識の壁／科学的合理主義／分析もどきと分析症候群／優等生型悉皆調査／仮説検証法／仮説の設定／3つのC／尻から考える

第2回講義まとめ 108

第四章　メッセージを売り込め 110

プレゼン失敗／メッセージを押し出す／ストーリーラインの構成／スライドの書き方／聞き手を意識する／共感を得る／上下から改革／技法①数の原理／技法②図形／5つのC

第3回講義まとめ 143

第五章 自分を変える戦略 144

半年で変わる?／転職⁉／恐妻不況／家族ＩＲ活動／時間資源の最適配分術／仕事量の調整／人間関係構築術／気を使うより頭を使え

終　章　決断 175

参考文献・推薦図書 183

おわりに 185

序　章　終末と始まりの予感

「四捨五入……」

そんな言葉が頭を駆け巡った。朝倉光男は、明日45歳の誕生日を迎える。誕生日がお祭り行事でなくなってから、かなりの時がたつ。

「四捨五入で50歳か」

最近は体調万全の日はほとんどない。月曜から酒席に参加し、いつもより少し遅く床についた朝倉は、50歳という言葉に不安を駆り立てられていた。

岩下敬三、阿部正和。先ほどまで飲んでいた仲間である。大手電気機器メーカー東部電機株式会社の昭和56年入社の同期だが、今も東部電機に残っているのは朝倉だけだ。

「朝倉は僕たちとは違うからな。見事な忠誠心だ」

「入社当時から、役員候補の筆頭と言われていたものだ」

友は口々に慰めそやす。朝倉の気持ちはさらに憂鬱になった。

「とうとう俺も、お前らから同情される身になったか」

吐き捨てるように言い放った。楽しいはずの久しぶりの酒席が一瞬凍るのを感じた。

ご多分に漏れず、東部電機もリストラの真っ最中。ボーナスはすずめの涙で、かつ業績給。本部勤めの経営企画マンには、なかなかつらい給与体系である。住宅ローンさえなければそれでもやっていけるが、〝資金繰り〟は正直言って厳しい。

「うまくやったな、あいつらは。岩下は入社５年目に休職して自費留学でＭＢＡを取った。30歳になるやいなや、華麗に外資の戦略系コンサルティング会社に転職。今はその会社のパートナーで、名前もけっこう売れている。世間で通用する〝エリート〟だ。阿部は40歳を迎えた頃、実務経験をかわれて外資系の大手メーカーに転職した。岩下と違ってのんびりした奴だが、お金、仕事、生活でもそこそこ充実した日々をエンジョイしているらしい。

それに引き換え俺は――。英語は相変わらず苦手だし、留学よりは本部の主流部門へ

序　章　終末と始まりの予感

の登用を狙って死に物狂いで仕事してきた挙句がこれだ。気がついたらグローバルビジネスの最前線からは程遠い、時代遅れのわが社でしか通用しない人間になってしまったようだ。確かに入社当時はエリート視されていた。しかし、その後は派手な実績も上げられず、ちょっと器用な中堅サラリーマンに堕ちてしまった。今では誰も自分を役員候補とは言ってくれないだろう」

ため息が漏れた。脳裏には、先ほどの情景が鮮やかに甦っていた。MBA、英語、コンサルティングスキル、将来か——。つぶやきながら、朝倉は布団を頭からかぶった。

翌朝、まだ重い心を引きずって出社した。

「おはようございます。次長、大丈夫ですか」

「ああ、まだ眠くてね。昨晩も飲んだから」

入社2年目の後藤可南子に、朝倉は気のない言葉を返した。

「私も昨晩は、3時までTOEFLの勉強をしていました。少し眠いけれど大丈夫です」

「君は若いからね」

朝倉は心の中で叫んだ。この子も、岩下と同じ種族なのか。あと2〜3年頑張って働いて、お金を貯めてアメリカにMBAを取りに行くと言っていた。元同期だけじゃなくて、若い人たちにも置いてきぼりにされてしまったのか。

重苦しい気持ちのなか、仕事に取り掛かる。朝だというのにメールがもう到着していた。岩下からだった。

「朝倉くん、お誕生日おめでとう。昨晩はたいへん申し訳なかった。君の誕生日を祝おうという趣旨で集まったにもかかわらず、外資系暮らしの我々2人の内輪話に終始してしまったようだ。一足早く君が帰った後で、阿部と話し合った。君のことが心配だ。同期の輝ける星・朝倉くんの元気のなさそうな姿を見て、とてもショックだった。

東部電機はけっして調子が良いとはいえない。外部の格付け機関や証券アナリストの評価も芳しくない。今こそ君が立ち上がって本格的に会社を変えてくれないと、元東部電機マンとしては悲しい。東部電機が強く、尊敬を集める会社になってほしいと心から願っている。〝現住所〟は違っても、社会人の第一歩を記し、ビジネスパーソン人生の

序　章　終末と始まりの予感

基礎を作ってくれた東部電機は、我々にとって永遠の故郷だ。よろしく頼む。
我々はいつでも君のサポーターだ。君が好きだし、尊敬している。悩みがあれば、できる限りサポートするから、遠慮なく何でも相談してくれ。もしこちらの思い過ごしだったらたいへんすまないし、そうであることを切に祈っている。
我々の仲間で最後に45歳になった朝倉くんへ。　2人を代表して、岩下敬三」

「岩下くん、阿部くん、丁重なメールをありがとう。君たちのメールは、真っ先に俺の目に飛び込んできた。こんな経験は久しぶりだ。昨夜の俺はここ数年の平均的な自分だ。体調は良くもないが悪くもない。仕事も、適当にこなすことに苦労はない。しかし、なにかけだるくて仕事にも倦怠感が付きまとう。
今日で俺も45歳だ。40歳を迎えたあたりから、老いという言葉が急速にリアリティを持ってきた。なんとか去年までは、エネルギー満タンで働くことも時々はできた。しかし今日からは、四捨五入すれば50歳だ。人生の終幕に向けて総仕上げを考えなければいけないが、その前に勉強すべきことがたくさんある。苦手科目の試験直前に大慌てをし

ているような気分だ。

世間にはビジネス書があふれている。若い人間もMBAだ、ビジネススキルだと目の色を変えて勉強している。俺はMBAの資格もないし、ファイナンスやマーケティングの専門教育も受けたことはない。分析力やレポートをまとめる力はそこそこあると思っていたけれど、先日岩下の講演会でのプレゼンを聞いて、彼我の差に愕然とした。俺の自信なんて、木っ端微塵に飛び散ってしまった。

それで、勉強を始めようと決意した。ラストスパートに入る前の準備運動だ。しかし、手当たり次第に経営本を買ってきたが、どれも帯に短し襷に長し。本棚はいっぱいになっても、読了するのはほんのわずか。身についたと思えるものもない。最近では、本を買うことで安心しているような体たらくだ。仕事が終わって家に帰り、さあ勉強だと思ってもどこから手をつけたらよいかわからない。そして焦燥感にとりつかれる。

知ってのとおり、俺は社内ポリティクスが大嫌いで大の苦手だ。実力一本で戦っていきたいと考えてきた。しかし、客観的にはたいした実績も上げていないし、君らを見につけ、自分がとても実力不足のように思えてきたんだ。結局、俺の存在なんて東部電

序　章　終末と始まりの予感

機の中でしか価値のないものであって、市場価値は取るに足りないんじゃないか。だからと言って、上司に媚を売って出世するような人間にはなりたくない。実力と理想のギャップが大きすぎる。そんなこんなで、ここずっと暗い気持ちにとらわれているんだ。メールを打っているだけでも、ガス抜きというか、気分が良くなってきた。愚痴を言うのは今回だけにしたい。君らの友情の深さは、心に染み入ったよ。今後も2、3年に一度は愚痴をこぼすかもしれないが、そのときはよろしくお願いする。　　朝倉光男」

「朝倉くん、近々、夜の時間をください。こちらも最優先で時間を作ります。君の都合の良い日程をいくつかお知らせください。

　　　　　　　　　　　　　　　　　　　　　　　　　　岩下敬三」

第一章　MBA不要論

「戦略」とは何か

45歳と7日目。朝倉と岩下は、若いころに酒を酌み交わした思い出の新橋の安酒場で会っていた。

岩下は、朝倉のメールを読んで根深い問題を感じた。いまアドバイスしてやらないと、大切な友人がダメになってしまう。そんな直感から、朝倉を呼び出したのだった。

岩下　朝倉よ、大丈夫か。君らしくないぞ。申し訳ないが、メールを見てびっくりした。もう20年以上の付き合いになるが、こんな弱気な君を見たのは初めてだ。

朝倉　そうかな岩下。そこまでひどいか。

岩下　はっきり言うが、ひどいよ。自分を見失うな。実力も才能もあるんだから、し

第一章　MBA不要論

っかりしてくれ。ようするに、君の自信喪失の原因は3つに因数分解できる。

朝倉　おいおい、コンサルタント口調はやめてくれよ。

岩下　いいから聞け。こちらも真面目なんだ。今の君には、「意識」「戦略」「技術」の3つの分野で問題がある。第一に「意識」だ。根拠なき「MBA有用論」を暗黙の前提にするのは、怖い兆候だ。むかしはそんなことは言っていなかった。MBAなんて時間の無駄、というのが君の主張だったじゃないか。私も、当たっている部分もあると思っていたよ。

2つ目の「戦略」は深刻だ。勉強することは正しいが、戦略が重要だ。40代の我々にとって、時間資源はどんどん希少になっている。しかも若いころのように無理が利かないんだから、よほど考えて有限な時間と集中力という資源を最適配分しないと学習だってできない。戦略ってなんだかわかるか？

朝倉　いきなり言われても困るが。方向性とかビジョンというか、そういうものを達成する道筋っていうか——。

岩下　ダメダメ。教科書の定義はそうだが、実務に即して言うと、目標達成のための

有限な資源の最適配分。つまり、何をやるかは簡単に決まるけれど、何をやらないかを決めるのが難しい。その「何をやらないか」が戦略だ。言葉を変えれば、戦略とは「捨てること」だよ。

朝倉 「何を勉強しないか」を決めなければならないってことか。言われてみれば俺の勉強は、何にでも手を出しては中途半端に終わっている。わが社の新規事業と一緒だ。

岩下 3つ目の課題は「技術」だ。思考技術、分析技術、コミュニケーション技術——これは要領よく学習すれば、比較的簡単に身につく。

朝倉 そんなものかね。俺の自信喪失状態はそんなに簡単に克服できるのか。

岩下 まずは意識の問題を解決して、これらの技術を戦略的に習得するんだ。会社依存型のいわゆる「会社人間」から、より仕事を客観視し自発的に取り組むことのできる「自立した人間」への変身が可能になると思うよ。

MBAの真価

朝倉 そうすると最初の壁は、MBA有用論か。むかしは英語が好きでないこともあ

第一章　ＭＢＡ不要論

って、ＭＢＡを否定していた。いまさら２年もかけて座学でもないと思ったし、理屈なんか習っても実務には役立たないと思っていた。実際、岩下が留学した80年代から90年代の前半は、アメリカの経営より日本の経営が優れていると言われた時代だ。その日本人がアメリカに学ぶというのは矛盾しているように感じたわけさ。

ところが最近ではファイナンス技術や企業価値評価、マーケティングの分野ではＭＢＡの知識は前提条件のように言われている。おまけにＭＢＡという名称自体の認知度が飛躍的に高まって、ＭＢＡでなければビジネスマンの基本素養がないというような論調すらある。正直言ってコンプレックスはでかいよ。

岩下　そう、コンプレックスだ。ではＭＢＡの価値とは何か。「ブランド価値」「品質価値」「経験価値」の３つだろう。

朝倉　おいおいまた３つかよ。

岩下　ブランド価値は、ＭＢＡという肩書きの値打ちだ。品質価値は、その教育によって得られる中身。経験価値は、日本人にとって異質の経験だということかな。

君がむかし主張していたとおり、以前は日本においてＭＢＡのブランド価値は高くな

かった。存在自体が、今ほど知られていなかったからだ。品質価値については、当時は意味があった。君も知っているとおり私は財務部にいた。投資理論、企業価値分析、オプション理論など、わが国では学べない科目がたくさんあったから、ビジネススクールを志願したわけだ。今は代替の学習手段もたくさんあるから、固有価値はあまりないかもしれない。経験価値は個人の事情によって意味合いが違うから一概には測れないし、代替手段も無限にある。

朝倉　最大のコンプレックスは、俺にはMBAブランドの洋服が手に入らないってことさ。かといってこの歳だ。いまさら留学でもないし、若手みたいに夜学に行く気にもならない。一流ビジネスマンの資格なしと言われているようで、気分が悪いんだよ。

岩下　ブランドという視点からは、MBAの価値が最大であった時代はすでに終わりつつあるんじゃないか。これからは限界価値が逓減していくだろう。会社の若いやつらにも、今からMBAを取るのは馬鹿らしいと言いつづけているんだ。

朝倉　そうなのか。本当か？

岩下　自分なりの思考のフレームワークは持っているつもりだ。では、なぜMBAブ

第一章　ＭＢＡ不要論

ランドに価値があるんだろうね。

朝倉　ブランドマネジメントの教科書には、「ブランドとはプロミス（約束）である」と書いてある。このブランドであればこういう品質を期待できる、というシグナルを送るのが役割だね。

岩下　さすが良く勉強している。じゃあなぜブランドが世の中から必要とされる？

朝倉　コミュニケーションを容易にするためかな。消費者はブランド名を見れば、そのブランドが約束する品質価値を享受できると考える。いちいち調査しなくても、安心して期待品質を想定できるからかな。

岩下　ブランドは情報を伝達する手段だ。さらに、生産者と消費者の間で商品情報の共有が不完全だから、必要になる概念でもある。商品が正しく値付けされるには完全情報が前提条件となるが、生産者と消費者の間で情報が共有されればされるほどブランドの価値は低くなる可能性がある。だから、客観的品質についての情報が共有しやすいコモディティ商品（日用品）にはブランドが存在しない。

朝倉　ブランドに意味があるのは、いわゆるスペシャリティ商品というか高級品や贅

沢品の世界だ。とくにデザインに価値のあるファッション商品や、細やかな使い勝手の違いが差別化の要因になる消費財の世界ではブランドが強い。そうか、消費者に品質価値が伝わりにくい商品分野では、ブランドが重要なわけか。

岩下　MBAという肩書き、すなわちブランドについても同様ではないか。この肩書きは、「ビジネスパーソンとしての一流教育の修了を証明し、一流ビジネスパーソンの資格を保証する」というメッセージを発している。現在の日本では、言葉自体はどんどん広く知られ始めていて、人気はあるしイメージも良い。でも、ブランドの最終的需要者である雇用主やMBA取得希望者は、MBAの品質情報——簡単に言うと講義の中身や教育効果——について十分な知識を持ち合わせていない。MBAという肩書きが、まだコモディティ商品にはなっていないということだ。だからこそ、ブランド価値は現在以上に大きくなることはないのではないか。

朝倉　今後は、MBA教育っていうのがどんなもので、何をやってくれるのか、世間でどんどん知られてくる。ブランドそのものの価値が下がる可能性もあるわけだ。

第一章　ＭＢＡ不要論

増えすぎたＭＢＡ

岩下　もうひとつ考えなければいけないのは、ＭＢＡ保有者の希少性だ。ブランド価値があって保有者の絶対人数が少ないという状況であれば、その市場価値はさらに高くなる。プレミアムがつくからね。

私がアメリカでＭＢＡを取得したのが87年。それ以前の10年間にも、トップテンの主要校で毎年10人は日本人ＭＢＡが誕生していただろうから、最低でも1000名はＭＢＡがいたはずだ。私以降の10年間は、毎年20人としても2000名。合計20年で3000名。トップテン以下の学校もあわせて、全体で1万人もいればいいかな。

これでは、たいした希少性はなさそうだ。世の中に一流のトップマネジメントポジションは1万もない。でも87年当時であれば3000名くらいのうちの1人だ。ギリギリの留学を希望したとき、私はこんな計算をした。10年後には1万人のうちの1人になる。

朝倉　なるほど、知られていなさすぎてもブランド価値はなくなる。ＭＢＡって名前タイミングだというイメージがあった。を世間がそこそこ認知して、でも中身についての情報は行き渡っていなく、かつ絶対数

として希少性があれば価値は最大だ。それが岩下の時代か。

岩下　80年代後半から90年代初頭のMBAが、そういう意味で一番うまく価値をレバレッジできていると思う。

朝倉　じゃあ、これからMBAっていうのはナンセンスなのかな？

岩下　そうだ。すでに品質価値は明らかになりつつある。実はMBA教育なんて、日本の大学でいえば学部レベルだ。教材とコース構成さえしっかりしていれば、自学自習できるかもしれないという実態が共有されれば、ベールがはがれてくる。

実際、帰国して驚いたが、MBAでない阿部が、当時すでに財務会計、原価計算、投資理論、ファイナンス理論について十分な知識を持っていた。彼は今、外資系メーカーの戦略担当としてM&Aの一線で活躍している。「証券アナリスト試験」の学習を通じて基礎力をつけたらしい。一度テキストを見せてもらったが、初年度のMBAファイナンスはくまなくカバーされていた。

2年間の機会費用も莫大だ。授業料も高い。2年間で最低1000万から2000万円の投資をすることになる。代替教育手段がどんどん提供されて、競争が激しくなって

第一章　ＭＢＡ不要論

もおかしくない。どんどんコモディティ化していくわけだ。おまけに人数は、希少性を疑うほどになっている。理屈として、ＭＢＡの価値は逓減する傾向にあるというわけだ。

朝倉　不惑を過ぎたいい大人が、根拠のないＭＢＡコンプレックスなんか持つものじゃないってことか。どんな教育でどこに価値があるのかという情報を入手して、必要なら安価な代替手段で知識を入手する──。当たり前のことを実行すればいいわけだ。それから、ＭＢＡって肩書きに出会っても「この人は特別選ばれた人じゃない。すでに１万人もいて、もっと増えるであろう普通の人の１人なんだ」って思えばいいんだな。

岩下　１万人を多いと見るか少ないと見るかが鍵だが、最近の推定値では、日本人ＭＢＡは現役で２〜３万人ぐらいいるらしい。世の中に１０００人なら肩書きに安住するのもいいが、２〜３万人ではちょっとつまらない。

朝倉の脳に心地よい疲労感が感じられた。久しぶりに運動をした後の、筋肉がピシピシという音を立てて刺激される感覚。似たようなものが頭を走った気がした。

戦略的英語学習法

しかし、いまひとつ釈然としない気持ちも残る。英語力である。東部電機でも英語力は必須。MBAさえ取っておけば、英語コンプレックスには悩まされずにすんだはずだ。この問題が解消しない限り、納得はできない。

そんな朝倉の気持ちを先読みしてか、岩下が口を開いた。

岩下　ただし、MBAには英語学習の場としての意義がある。

朝倉　そのとおり。外資系じゃなくても、英語は必要だ。今のところ留学帰りの部下に全部任せてしまっているが、このままじゃいけないという意識は強い。英語は「捨てろ」ってことか？

岩下　いやいや、英語は重要だ。日常生活のなかでできて、しかも独学が可能な、戦略的英語学習法について話そう。

朝倉　よろしく頼む。

岩下　ご存知のとおり私は、付け焼刃で必死に勉強してやっと留学できた口だ。おまけに、授業で発言しなくてもペーパーテストで成績が決まることで有名だったシカゴ大

第一章　MBA不要論

学を選んだし。君に指導する人間としては最適だろう。

朝倉　そうは言っても、いまや外資系コンサルティング会社のパートナーだ。経営幹部が英語が下手じゃまずいだろう。外資系のクライアントもいるわけだし。

岩下　どうやら私は語学に縁がないみたいで、一向に英語力は向上していない。でも英語を使ったビジネスコミュニケーション能力には自信がある。この間も当社の全世界のパートナーが集まるミーティングで、200名を相手に30分プレゼンしてきた。聞き取りにくそうな顔をしながらも、何人もが面白いプレゼンだったと言ってくれた。もっとも日常会話はダメだ。ビジネスでしか英語は使えない。

朝倉　でも留学したってことは、TOEFLでけっこうな成績を取ったんだろう。

岩下　昔々の話だ。幸いなことに日本人は文法と読解は鍛えられているから、そこでは得点できる。500点までは何とかなるが、一流といわれるトップテンビジネススクールに合格するには600点は必要だ。かなり苦労したけれど、独自の学習法を編み出して1回だけ610点を取った。それで何とかしのいだというわけだ。

朝倉　独自の学習法ね。そういえば君が休職を決意した当時、よく一緒に飯を食った

りしたね。君は英語の勉強と称して、英字新聞や「ニューズウィーク」「ビジネスウィーク」を読んでいたけれど、ヒアリングやスピーキングの勉強をしていた雰囲気はなかった。あれかよ、その学習法ってやつは。

岩下　そうそう。英語学習も戦略だ。

朝倉　戦略ってことは捨てるってことか。何を捨てた？

岩下　ヒアリングとスピーキングは才能なしと諦めて、学習項目から外した。戦略っていう話はさっきもしたけれど、限られた資源を最適に配分するということだ。簡単に言うと、実力向上の余地と改善によって伸びる生産性という視点から、学習対象に優先順位をつけた。

英文法はこれ以上向上してもさして得るところはないし、成長余力も低い。読解力はまだまだ改善の余地はある。なかでも長文は苦手だし、単語力も追いついていない。成長余力大だ。ヒアリングは全然ダメだから、これも成長余力は大。読解力とヒアリングで、現在の実力というか強みを比較すると、読解力のほうがまだ力があった。日本人はだいたいそうだ。おまけに仕事で世界情勢を常にウォッチしてい

第一章　ＭＢＡ不要論

るから、興味を持って勉強できる教材も豊富にある。この分野の学習は、他の職業の人間や学生さんよりも優位性がありそうだ。ヒアリングはまったくできないし、教材にもビジネスパーソンが得手とするものが少ない。いまさら映画を見る余裕もないし、テープ教材も教科書的でつまらない。だからヒアリングは優先順位を落としたんだ。

朝倉　たしかに戦略だ。成長力があって優位性もある分野が「スター」で、資源配分を優先する。成長力があって優位性のない分野は、やるなら徹底的に、そうでなければ資源配分の順番を落とす。そして、成長力がなくて優位性のある分野は「金のなる木」として大事にするって理屈だね。

岩下　そう。ビジネスパーソンが学習の戦略を考えるときに重要なのは、得手を徹底的に伸ばすという発想さ。非常識発想だよ。これに対して秀才の発想は、できないところを伸ばそうとするものだ。総合ナントカに憧れて、単純に市場が伸びていて魅力度が高いからと不得意な分野に出ていくような会社は、すぐ負けて帰ってきてしまうことが多いだろう。

朝倉　うちの会社でもよくある話だ。

語彙力で勝負

岩下　それで私は、英語は読解力に磨きをかけることだけに集中した。教材も、政治経済を中心に、自分の勘が働く分野に絞った。やったことは簡単だ。英字新聞を毎朝買って、日経にさらっと目を通した後ひたすら読む。単語がわかってもわからなくても読み飛ばす。重要な言葉は毎日出てくるから、文脈でだいたいわかってくる。辞書を引くのは、どうしても気になったときだけ。せいぜい1日1回くらいだ。毎朝一面を読むことを目標にして、読み終わったら駅のゴミ箱に捨てた。スクラップしたって時間がかかるだけで効率が悪いからね。

そして週刊誌を読みまくった。といっても「ニューズウィーク」と「ビジネスウィーク」だけだ。最初は毎週1記事がせいぜいだったが、だんだん2〜3記事は読めるようになった。今でも「ビジネスウィーク」には目を通すようにしている。

朝倉　英語のテキストや学習雑誌、参考書は使わなかったのか。

岩下　全然使わなかった。取り上げている例文がつまらなくて興味がわかないし、暇

第一章　MBA不要論

なわけでもなかったし。

朝倉　それで、しゃべりのほうは大丈夫になったか。

岩下　発音は最低だ。でも内容のある英語は使えるようになる。1〜2年間、英語の文章を読んでいると、語彙が猛烈に増える。けっこう迫力のあるしゃべりはできる。語彙力のおかげで、ヒアリングもましになった。仕事関係のことなら、何について話しているのか、賛成なのか反対なのかさえ聞き取れれば、聞き取った単語を基にどんどん想像していける。わからなくなったら相手のスタンスを聞き直せばいいし、コミュニケーションには問題ない。

朝倉　ちょっと、まとめさせてもらうよ。まずは、自分に強みのある分野から勉強しろっていうのが大原則。「英語を勉強する」のではなくて、仕事に関係するテーマを「英語で勉強する」ってことだね。教材は英字新聞や英文週刊誌。今ならウェブで「ニューヨーク・タイムズ」でも「ウォールストリート・ジャーナル」でもすぐアクセスできる。その中で、関心のある記事を読んでいけばいいわけか。簡単そうだな。本当にそれだけでいいのか？

岩下 生き証人もいる。阿部が勤めているのも外資系だ。留学経験はないが、いまや幹部で日常的に英語を使っている。転職するときに英語の勉強法について相談されて、同じことを答えたよ。彼はそれ以外に、NHKのビジネス英語講座を見たり、時々は単語の教材も使っていた。英語に関心が向いたせいか、すごいスピードでマスターして、数カ月でTOEICのスコアをかなり上げた。外人の同僚も、急に英語がうまくなったと驚いていたらしい。

朝倉 その話は聞いたことがある。たしかTOEIC900点以上だって言っていたよ。あの英語オンチの阿部がね、と思ってびっくりしたことがあった。なるほど、戦略思考が勝利の鍵だったってわけだ。

岩下の言いたいことはクリアだ。いつの間にかこんな能力を身につけたのだろうか。たしかにMBAがないからといって、敗北意識にとらわれる必要はない。自己変革の努力はすべて「戦略的」に実行する必要がある。ポイントは2つだ。

① 時間資源の制約の中では、「何をするか」ではなく「何をしないか」を決めなけれ

第一章　ＭＢＡ不要論

ばならない。「捨てる戦略」が重要だ。

②何を捨てるかを決めるには、学習すべきテーマの魅力度だけで優先順位をつけてはならない。自分にできるか否かという、優位性の視点と併せて考えるべし。得手に帆をあげよ、ということだな。朝倉は納得した。

変革真空層の40代

頭では納得した。しかし、心から元気がわいてくるまでには至らない。やらなくていいことはわかったが、肝心のやるべきことのイメージがつかめないからだ。これでは、リストラで何とか生き残ったものの成長のシナリオがない会社のように、縮小均衡の人生しか見えてこないというのが本音であった。

朝倉　ありがとう。しかしね、君の言った技術——思考、分析、そしてコミュニケーションをマネジメントする技術はどうしたらいいんだ。それを学ばないことには前進はない。ＭＢＡ批判はできても、そのＭＢＡの連中より実力はないっていうんじゃ、あまりに悲しすぎる。

岩下 朝倉。君はとびきりのエリートだった。今でも潜在能力は、私より上だと思っている。私はたまたま時流の読みと運のよさで、若干君より先にビジネス社会が求める技術について修練の機会を与えられただけだ。まあ、ファースト・ムーバーズ・アドバンテージ（先行者利益）というやつさ。

我々の世代の問題は、今まで学んだことを統合して実力を世に問おうという時期に、いきなりまた多くのことを学ばなくてはならなくなってしまったところにある。30代以下の層では、人生はまだ学習モードにある。新しい価値観を難なく受け入れながら、自助努力で新しい時代への変革過程に突入している。この「変革過程層」を象徴するのがMBAブームだ。50代以上の層は、これから得られるであろう生涯キャッシュフローの極大化のため、既得権の維持に躍起になっている。「変革拒絶層」だ。

我々40代も、変革を余儀なくされていることは頭では感じている。さりとて「変革過程層」の人間ほど、自己変革に投資する余裕はない。「変革拒絶層」におもねることで得るところもあるかもしれないが、変革を拒絶すればこれからの人生を捨てることになる。生涯キャッシュフローは「変革拒絶」では保証されない。よく「静かな40代」な

第一章　MBA不要論

んて言い方で揶揄されるが、こちら立てればあちらが立たずという厳しいトレードオフの中でもがき苦しんでいる我々は「変革真空層」ではないか。

研ぎ澄まされた変革技術を習得し、最小の変革投資で最大の変革リターンを狙う。つまりは戦略の視点だが、これが我々40代の課題だ。わが国でもたくさんのビジネススクールが開校しているが、対象は「変革過程層」だ。「変革真空層」の切実な課題に応える仕組みは誰も提示していない。

朝倉　――まったくそのとおりだ。「変革真空層」ね。俺の潜在意識をえぐるような言葉だよ。じゃあ一体、どうすればいいんだ。

岩下　先日の飲み会のあと、阿部と話し合った。このままでは、君のような本当は実力もあり会社や日本経済に貢献できる層が、今までの投資をリターンに変えられないまま、忘れ去られてしまうのではないかと。

10年後、年金は上の層にすべて食いつくされ、新しく創出される富は変革過程を経た新しい層に独占される。我々のごく一部のみが、たまたま外資系企業に拾われるか起業に成功するかして、難を逃れるというのはあまりに悲惨だ。我々〝外資系難民〟だっ

て、同世代人が日本の経済・経営の中心になってくれない限り、長期的な成功は覚束ない。運命共同体だ。

最近はわが国でも、思い切ってCEOの若返りをはかる動きがちらほら現れてきた。ときには60歳から45歳といった15年抜きが平気で行なわれる。こういった世代大交代がもっと広く行なわれるようになると、5年後にCEOのポジションに就くのは、40歳を迎えた、いま30代の「変革過程層」かもしれない。我々は真空地帯のままビジネス人生の終末を迎えてしまうのか。それだけは我慢ならない。

朝倉は「変革真空層」の代表選手だ。微力ながら、君の変革を支援する試みができないか阿部と議論した。もちろん我々にもメリットはある。第一に、成功すれば我々の友を経済界の中心に送り込めること。これは我々のビジネスにも有形無形のメリットがある。第二に、こういうスキームの事業化の可能性だ。「変革真空層」の支援という新しいビジネスチャンスを事業化することで、大きなリターンを手にすることができるかもしれない。これは半分冗談だが。

君のために私塾を開校しようと思っている。乗るかね、朝倉。名前はこの赤提灯にち

第一章　ＭＢＡ不要論

なんで「新橋ビジネススクール」かな。

岩下の熱い思いのこもった申し出にノーという理屈はありようがない。朝倉は、珍しくまっすぐ岩下の目を見て大きくうなずいた。

新橋ビジネススクール開校！

教室には、新橋駅日比谷口の中華料理店・新橋亭新館が選ばれた。という個室は、理想の密談場所だ。朝倉の45歳と18日目、金曜日午後6時半。朝倉、岩下、阿部の3人は珍しく約束時間きっかりに集まった。

岩下　皆さんにお配りするのは、「新橋ビジネススクール」の教育方針とカリキュラムのたたき台です。

朝倉　いや、岩下のメモはいつも簡潔だな。これだってたかだか2枚で、おまけに1ページに6～7行しか書いていない。今日の経営会議で俺が配ったメモが、Ａ3サイズで10枚もあったのとは対照的だよ。

阿部 新橋ビジネススクールの位置付けは、「40代（＝変革真空層）を対象とした、投資リターン効率を最大化する変革教育スキーム作りのパイロットプロジェクト」だね。運営の基本原則は3つ。岩下の年来の主張だ。

1、捨てる
2、教えない
3、非常識

岩下 このプログラムの目的は、「自分を変える戦略」を伝えることだ。範囲は徹底的に絞り、もっとも投資効率のよい分野しかとりあげない。

朝倉 「教えない」って、何にも教えてくれないのかよ。話が違うじゃないの。

岩下 魚を釣って与えるのではなく、魚の釣り方を学んでもらうという話だ。教えるという響きには経営コンセプト、経営手法など、知識を与えるという語感がある。ビジネススクールを卒業して15年以上が経つけれど、知識教育で少しは役に立ったと思えるのはファイナンス理論の基礎ぐらいだ（注）。他に企業戦略、マーケティング、オーガニゼーショナル・ビヘイビア（組織行動論）

第一章　ＭＢＡ不要論

などがあるが、知識体系が出来上がっているような分野ではない。自学自習で十分だし、逆に余計な知識が現実のビジネスを考えるときの邪魔になる場合もある。まあ、無視してもいいのではないか。

朝倉　たしかにね。君たちの仕事のやり方には、いろんなコツがありそうだ。思考法や情報分析術、概念を作り出す方法、それにコミュニケーションなんかのノウハウを、たっぷり持っていそうな気がする。その辺を教えてほしいな。

阿部　それは知識ではないね。僕らは知識は教えないが、学び方は伝える。

岩下　さらに常識的で教科書的な考え方、やり方は否定していこうと思っている。

阿部　賛成だ。僕らはビジネスの世界に生きている。差別化の視点が常に求められているはずだ。世の中には常識となるスタンダードが存在して、それを学ばないといけない、というのは初等教育の考え方だ。しかも相手を出し抜かなくてはならない競争の現場では、標準の思考方式で同じ発想に行き着くことに意味はない。どうしたら世間と違う発想や仕事の進め方ができるかを学ばなければならない。僕らがグローバルビジネスの世界で何とか生き抜いてこられた秘訣はそこにある。もっともこれは岩下からの受け

売りだがね。

岩下 カリキュラムに入るよ。最強のマネジメント技術習得講座は3部構成だ。第1部が思考法、第2部が分析技術、第3部がコミュニケーション技術。これだけだ。

朝倉 わかった。早速、第1回目の講義に入ってくれ。

注 ファイナンス理論の基礎については、拙著『会社を変える戦略──超MBA流改革トレーニング』第四話をお読みいただきたい。ファイナンスを理解するポイントはざっくり言って2つしかない。第一に、株式調達には資本のコストがかかるということ。投資家は株式に投資することでリスクを負う。リスクに対しては見返りが必要だ。配当と値上がり益の両方で計算する投資利回りが、無リスクの国債への投資を凌駕していなければ投資しない。そのリスク分に対して投資家はプレミアムを要求する。だから株式の資本コストは無リスク国債より高い利回りの資本コストを必要とする。第二には、企業価値はファイナンス戦略の巧拙には無縁であるということ。MM理論《モジリアーニ=ミラー理論》のメッセージだ。マートン・ミラーは、よくピザの喩えを使った。ピザ=企業価値をどう切っても、ピザの合計価

第一章　ＭＢＡ不要論

値は一緒だ。すなわち、資本コストの高い株式調達を減らすと、負債が増して倒産リスクが高まり、資本コストの低下分を打ち消す。企業価値は実物経済で決まり、ファイナンスというシャドー（陰の存在）で決まるわけではない。この２つを覚えておけば基本は終了である。

第二章 自立するための思考法

自分の頭で考える

第1回目の講義「自立するための思考法」の講師は、頭のてっぺんからつま先まで絵に描いたように戦略コンサルタント然とした岩下だ。

岩下　真面目に講義を始めよう。かつて阿部が転職してすぐに、悩みぬいて私のところに相談に来たのが今日のテーマだ。

阿部　「自立と思考」だね。

岩下　阿部、君の経験をケーススタディしよう。話してくれたまえ。転職当時のことを。

朝倉　おいおい岩下よ。そのえらそうな口調はなんとかならないか。コンサル臭さが

46

第二章　自立するための思考法

阿部　いやいや、いいんだよ。こいつの生意気さには慣れている。僕が40歳で今の外資系メーカーに転職した当初のことだ。研修でもあるのかと思ったが、何もなし。すぐさま社内プロジェクトに配属されて、外人上司から受けた最初の指示が「考えろ」というものだった。ある事業の戦略を見直すために、どこが悪いか考えて来いというんだが、いきなり入って間もない会社の課題って言われてもね。

朝倉　そう漠然と言われても困るな。それでどうした。

阿部　一生懸命その事業について調べたよ。財務状況、事業計画、顧客調査、過去の社内レポート、会議資料や業界紙誌情報──。そして、問題点だと思われることを報告書にまとめたんだ。

朝倉　普通そうするな。俺もそうやって仕事しているよ。

阿部　そうしたら、「そんなことは誰でも知っている。みんなが指摘している課題だ」と思うんだ。「他人がどう思うかを調べてもしょうがない。そんなことは誰でもできるが、君はどう考えろ。ミスター阿部の思考結果を見せてくれ」と言われて、議論もしても

らえなかった。それで思い余って、気が進まなかったが岩下先生のところに駆け込んだわけさ。

岩下　これは大事な逸話だ。当時の阿部だけでなく、40代半ばを過ぎた朝倉にも同じ問題が潜んでいるんじゃないか。一言で言うと「エゴの確立」の必要性だ。

朝倉　「エゴ」──自我ね。自我ぐらい俺にもあると思うが、何が問題なんだ。

岩下　阿部が先ほどのケースで取った行動に「エゴ」はあるか？

朝倉　たしかに阿部がやったのは、「他人が」その事業をどう見ているかを調べ、発表するということだ。

岩下　そう、阿部は自分の考え方や洞察を供給する役割を放棄して、他人の考え方の追従者になってしまった。それでは、阿部にプロジェクトに加わってもらう価値がない。世論や通説はそこら中にあふれているし、他人の考えは調べればわかる。そうしたものを器用に集めて報告したところで、付加価値は無限にゼロに近い。

阿部　そのとき僕は岩下から学んだんだ。僕は東部電機のサラリーマン生活のなかで、「他人の目」を自分の意思決定の判断基準にする習慣がついていた。ここを改善して、

48

第二章　自立するための思考法

あくまで「自分の目」を判断基準に意思決定を行なっていかないと、外資系企業でこれから経験する実力競争では生き残れないということを。

コロンブスの卵の原理

岩下　朝倉、君も同じ問題を抱えているはずだ。自分の目で判断し、自分の考え方で会社人生を送っているか。

朝倉　サラリーマンは組織人だ。岩下のような一匹狼的な、ある意味気楽な立場とは違う。君らは他人と違うことを言って金をもらうのが商売だろ。俺の商売は、あくまで東部電機の社員として判断し、行動することだからね。そりゃ同じ問題はあると思う。でも、直言で自分の地位を危うくした人はごまんといる。そんなのは我々へのアドバイスにならないよ。だからコンサルの書生論は嫌なんだ。

岩下　いや違う。君らが「組織人」をやっているから、私の仕事が成り立つんだ。企業経営者が異なる視点を求めているから、コンサルタントのニーズがある。君らが自分の目で考えるようになれば、我々はいらなくなるかもしれない。今は変化の時代だ。顧

客も変化を求め、社会も変化を求め、君の会社も変化を要請されている。あくまで、会社のために働いているんだ。会社にとって良いことをし続ければ、それはいずれ自分に返ってくる。そう信じて、東部電機のために何が本当に良いのか、君の目で考えなければいけないのではないか。

君は、誰か特定の上司のために働いているわけではない。

朝倉 しかし君もご存知のとおり、"直言居士"は次々に組織から排斥されていく。我々が入社時に先輩から教えてもらったのは、つまるところ「サボらず、逆らわず、働かず」という組織人として生きるための鉄則だったじゃないか。「逆らわず」は金科玉条だ。もっとも、了見の狭い経営陣とお追従グループの部長陣がいなくなれば、君の言うとおり自分の考えで勝負できる会社になると思う。しかし今は違う。評論家は好きなことを言えるが、そんな簡単じゃないよ。

岩下 君の考え方に２つのコメントをしたい。
①心配なのは、君の処世術の巧拙ではない。そういった制約のなかで、「自分で考える能力」がどんどん毀損され退化していくことだ。仮に、君が批判する経営陣や部長陣

50

第二章　自立するための思考法

が明日いなくなったとしたら、代わりを務められるか。「自分の考え」で会社をリードし、社内の異論も許容できるような経営者になれるか。「自分で考える能力」が退化した今の君に、果たして務まるだろうか。我々の世代に蔓延する「原因他人論症候群」だ。

②もし君に、「自分で考える能力」が十分あったとする。世の中で必要とされているのは、特定の技術でも肩書きでもない。「自分の考え」をしっかり持ち、自ら実践して、実績を上げるということだ。そういう人は少ないから、常に需要超過だ。この能力は必ずしも会社と喧嘩することには繋がらないと思うが、どうしても組織との軋轢を生むなら飛び出してしまえばよい。

朝倉　たしかに今の俺は、「自分で考える」習慣が抜け落ちてしまった状態かもしれない。子会社の社長をやれといわれても無理だ。自分なりの考えを懐に持つどころか、上司や経営陣の顔色を窺うのが仕事になってしまっている。焦燥感のひとつの理由はそれだ。30代の社員あたりのほうが、「自分ならこうする」という主張をぶつけてくるケースが多い。正直言って、あおられるよ。

阿部　岩下が面白いことを教えてくれた。「コロンブスの卵の原理」っていうらしい。

年齢を縦軸にとって、「自分の考え」すなわち会社のことを考える意識の幅を横軸に取ると、今の我が国の年功序列的な職階構造からすると、本来なら年齢が上がるにつれて意識の幅は広くなるだろう。ところが、そうはならないんだ。意識が広がってそれがまた狭まって結局コロンブスが卵を無理やり立てたような形になってしまうんだ。

最初は新人で会社のこともわからないから、「自分の考え」は極小。だんだん会社におけるエゴ＝「自分の考え」の幅が広がっていき、40代に突入するくらいで最大になり、そこから縮んでいく。年齢が高くなると「自分の考え」の対象が会社の長期的発展から自分の将来の話にすりかわって、意識の幅がまた極小になるって考え方だ。本来なら、意識が広くて「自分の考え」をしっかり持って会社の将来を考える40代位が経営につくべきだが、現実はそうじゃない。普通に卵をおけば、40代位を中心にゴロッところがるじゃないか。年功序列じゃなくて、この意識の幅をベースに職階を決めれば問題ないんだが。

朝倉　俺はコロンブスの卵のど真ん中を過ぎた、縮み過程にいるってわけだ。

阿部　僕は岩下に比べると、日本的なサラリーマン生活が長かった。社内でもそれな

りに認められていたし、そのための努力も惜しまなかったつもりだ。それが、外資に転職した矢先に、「自分で考える」習慣を捨て去っていたことを思い知らされた。つらかった。転職したことを本気で後悔したよ。

朝倉　でも「自分で考える」ことができるようになったんだろう。だからクビにもならずに、外人上司の元で働いていられるわけだ。

阿部　言うほど簡単じゃない。「自分で考える」ことが絶対要件だということはすぐわかったが、その後が大変だった。気付いてみれば、大学受験から東部電機を辞めるまでの22年間、「他人の考え」を理解し記憶して、その考え方に合わせて自分の体を動かす訓練をしていたわけだ。いまさら「自分で考えろ」といわれても、何をしたらいいか皆目わからなかった。そこで岩下からもらったのが、「イマジネーション」というキーワードだった。

考える＝イマジネーション
朝倉　イマジネーション？　想像力か——。

岩下　このキーワードには、若干の解説が必要だ。朝倉は勉強しようとたくさんの読書をしているようだが、どんな分野かな。
朝倉　今は「コーポレート・ガバナンス」「企業価値評価」「経営戦略論」なんかが中心だ。それから経済・経営雑誌も読むようにしている。
岩下　そういった経営書の読書だけか？
朝倉　読書と、この新橋ビジネススクールだけだ。
岩下　それらは、言語を通じての学習だ。言語と論理構成で、テーマを理解するわけだ。そうすると朝倉の「自分で考える」は、言語における活動が中心なのか。
朝倉　そうだね。頭の中で、言葉をいろいろ踊らせている。
阿部　僕も朝倉とまったく同じ症状だった。言葉、論理——。最初にはまった罠は、目の前の現象に対して、バイアスのかかった経営コンセプトや論理を当てはめてしまうというものだ。例えば、「ワン・ストップ・ショッピング」のような経営コンセプト。岩下の指摘だが、そうした言葉には「他人の考え」や「非連続の時代」という手垢がついている。論理だって、他人が構成したものを反芻していたに過ぎない。自分で考えて

第二章　自立するための思考法

いたのは、「他人の考え」の中から何を選ぶかだけだった。

朝倉　それじゃいけないのか？

阿部　最初はそれでいいと思ったよ。でも現実というのは、そんなにシンプルなものじゃない。紋切り型の解答が当てはまるほうが不思議だろう。君も経験していると言ったじゃないか。去年、外資系コンサルティング会社を使ったときのことだ——。

朝倉　そうだったね。彼らはもっともらしい経営コンセプトを当てはめて、実際、診断と提言をして帰った。でもそんな一般論で東部電機を語って欲しくなかったし、実際、語りきれたとは思えない。あの手の経営コンセプトに初めて触れた経営トップ層が喜んだだけで、勉強している中間層にはとくに総スカンだった。結局、何も実施されなかったよ。たしかに、現実を他人の考えた言葉と論理の枠に当てはめるだけでは限界があるな。

阿部　それで岩下が、福音を授けてくれたわけさ。「想像しろ、イマジネーションだ」ってね。

岩下　そう。「自分で考える」時には、頭の使い方を変えなければならない。言葉と論理は、実体を描写する道具だ。あくまでシャドー（陰の存在）としての手段であり、

主に左脳が司る機能だ。人は眼にした実体を、抽象化したり言語化して、コンセプトという言葉とその言葉を説明する論理を作ったが、実体はその言葉の前に存在する。我々が「自分で考える」ためには、実体を先に考えなければならない。それは具体的イメージであり、生き生きとした三次元での動きであり、人間の息遣いであり、感動だ。右脳の作業、つまり想像力を働かせて、「あるべき姿」を描き出すということだ。

阿部 今の会社で最初にテーマをもらったとき、岩下から同じアドバイスを受けた。そして僕はすぐさま行動を変えたね。財務諸表をにらみながら、数字の奥にある「会社の実体」を想像したんだ。在庫の数字を見て、3〜4年前のもう絶対売れない商品が倉庫の隅で埃にまみれている様子を想像した。売上げの数字からは、「押し込み」セールスをして必死に売上実績を作ろうとしている営業マンの姿。おまけに、彼らの「こんなことをやってはいけない」という表情までが眼に浮かんだ。それで、矢も楯もたまらずに、営業所をこっそり見に行ったんだ。ダルなムードが支配的で、活気がまるでない。嫌そうな顔をして働いている従業員の姿が印象的だった。

朝倉 まさしく想像力だね。

第二章　自立するための思考法

阿部　そういう素直な想像を、そのまままとめて発表したんだ。これは受けたね。一夜にして、僕は外資系でも偉くなれるかもと思ってしまったよ（笑）。

朝倉　なるほど。現場を想像するということか。現実に見すぎてしまうと、実態がわからなくなる場合もあるかもしれないものな。

岩下　そのとおり。これは講義の後半でしゃべるが、インプットを増やしすぎないこともポイントだ。自分で考えられる幅が制約を受けるからね。

朝倉　いや、正直言って新鮮だよ。これまで思考の主要舞台は左脳だと思っていたが、そうではないということが少なくとも言葉の上では理解できた気がする。でも右脳にイメージを描くことは、第一歩に過ぎないんだろう？「自分の」という独自性が出ないかもしれない。

岩下　独自性にこだわる必要はない。むしろ真実を探求する態度が大事だね。

阿部　僕がその後、覚えたやり方は、イメージを柔軟に動かすことだ。課題を抽出する段階では、単にイメージが描ければいい。表面上の問題点――例えば疲弊した従業員の姿、売れない商品、積みあがる在庫――なんかは、誰がイメージしても同じかもしれ

ない。ただし、そこから「自分で考える」という作業がスタートする。原因があって結果が生まれるんだから、表面上の課題の根っこを見つけなければいけない。ここで、「従業員が疲弊しているから人事給与制度をいじろう」とか、「売れない商品が悪いのだから商品開発に力を入れろ」とか、「在庫が多いから在庫を圧縮しろ」という単純思考に陥ってはいけないんだ。岩下、そういうことだな。

岩下　そういう単純さは、解決策自体がまた「他人の考えた」言葉や論理に支配されていることを表わす。いったん頭に描いたイメージを、動かしてみればいい。誰がどんな風に働いていけばいいのか。顔色や表情や言葉まで想像して、一生懸命に頭の中でシミュレーションする。どうしたらこの会社の従業員は、明るく前向きに働けるのか。そこを先にイメージして、どんな障害があるのかを抽出するんだ。

阿部　それが、「ルートコーズ（根っ子の原因）」探索のプロセスだ。原因の数は、経験的にもそれほど多くない。先ほどの一件では、製品戦略の不在に尽きた。ようするに、売れもしない商品をヤマカンで作って無理に売らせる、という構造だ。良い商品も出しているが、どんな顧客に、どうやって、誰が売るという戦略が全然なかったのが、

58

第二章　自立するための思考法

根っ子の原因だった。ほんの少しデータのインプットを増やしたり、ヒアリングをかけた結果わかったことだ。そうした作業中も常に、頭の中でイメージを動かす。どうしたら売れる会社になるか、という思考実験をするんだ。

朝倉　教科書的な解答を出していたら、それこそ大失敗だったはずだな。いま阿部は「製品戦略」と言ったけれど、その言葉の中身は現場感たっぷりのイメージとして右脳に蓄えられているのか。イメージを伝達するのに、もっともふさわしい言葉を選んだわけだ。

三悪追放

岩下　経営書にあるような経営コンセプトについても、常識的な用語や内容くらいは覚えるけれど、イマジネーションを妨げないためには勉強しすぎないよう心がける。

朝倉　にわかには納得しかねるが、筋は通っているな。他人の考えた左脳的な経営コンセプトや言葉、論理を詰め込んでもしょうがないどころか、思考停止状態を招く原因になる。せっかく課題や症状のイメージが描けたところで、考えるのが嫌になってあり

ものの解答に飛びついてしまうかもしれない。——そうすると、俺が一生懸命やってきた「勉強」はまったく無駄だったのか？

岩下　まったく勉強しないのも考えものさ。経営学の用語やコンセプト、論理は、右脳に映ったイメージを他人に伝達するときに必要だ。イメージを絵だけで描かれても困るし、雰囲気で説明されてもわからない。伝達の手段という意味では、ある程度の経営用語は学んでほしい。しかしそれは、あくまでも手段だ。通じさえすれば、経営学以外の分野の言葉でも構わない。

朝倉　なるほど。それで経営学や経営コンセプトには、異分野の言葉が多く使われるのか。「複雑性（コンプレクシティ）」「全体性（ホーリスティック）」なんていう物理学用語の流行だな。

阿部　岩下は、こういう言葉選びの天才かと思うときがある。物理、宗教、哲学、生物、大脳生理学に心理学——。いろんなところから言葉を持ってくる。

岩下　種明かしをすれば、結論的イメージが右脳に投影された段階で、これを一番うまく表しかつ相手に伝えやすい言葉を捜す作業に没頭するんだ。まず本屋に行って、経

第二章　自立するための思考法

営学以外のコーナーをぶらぶらする。イメージを作るという一番ストレスの強い作業を終わらせた後で、のんびり楽しんでやっているのさ。

阿部　経営学以外に言葉の種を探すというのは、すごく重要だ。僕は、自分の思考が他人の思考にジャックされないために、「三悪追放」の方針を貫いている。

岩下　それは私が教えたんだぞ、阿部。著作権侵害だ（笑）。

阿部　ははは。僕の、いや岩下先生の考える三悪は、「新聞」「雑誌」「経営本」の3つだ。

朝倉　君は何を読んで勉強しているかね。

朝倉　そうまで言われると答えにくいが――。そりゃ経済関係の新聞は毎日丹念に読むし、経済週刊誌も3誌は目を通す。経営本は毎週1冊が目標だ。最近は面白そうな経営月刊誌も増えてきたから、それも購読しようかと思っている。まあ俺は読みすぎかもしれないが、三悪という言い方はきつすぎるんじゃないか？

阿部　僕もむかしは新聞や雑誌を読み漁っていた。そうすれば最低限のことはやっているという安心感があるし、中毒のようなものだ。でもね、ある時気がついた。「事実

は知るべきである。しかし意見は有害である」と。

岩下　言い方を変えよう。つまり、勉強不足で事実を知らないでいるのはビジネスパーソンとして失格。重要な出来事については正確に、いつ・どこで・誰が・どうやって・何をした、という情報を持っているべきであり、そのために新聞、雑誌、書籍を読むことは欠かせない。しかしこれらには「解釈＝意見」が色濃く反映されているケースが多い。解釈＝意見を事実と誤認することには、警鐘を鳴らさないといけない。

阿部　僕が手を焼くMBAの同僚や部下にも、知らず知らずのうちこの病気に冒されてしまった人間が多い。誰かが解釈＝意見を出し、それを一般のビジネスパーソンがさも事実であるかのような受け止め方をしている。しかも、解釈を出した人間に権威があると実に怖い。意見や解釈は一人歩きして、一斉に思考停止状態が生まれる。SCM、BPR、CRMなんていう言葉は、90年代後半以降、我々メーカーの頭を冒してしまったコンセプトの好例だ。

岩下　会社というものは、本当に難しい。経営にはアートのセンスが必要だ。なんと言っても、会社を動かす主役は感情を持った人間だから、論理的な科学的解決策だけで

第二章　自立するための思考法

は片がつかない。結局のところ、紋切り型の解決策など存在しないんだと再認識する、それも、強く再認識しなければならない。

阿部　そう。経営コンセプト、言葉、論理は、あくまで自分が考えた実体的な内容を伝達する手段だ。言葉を勉強しすぎると、手段の目的化というか、手段が手段にすぎないことを忘れてしまう。無批判にコンセプトを当てはめて、これぞ現実の解決策であるという妄想に取り憑かれてしまうことになる。それだけは避けてほしいという点は同感だね。

朝倉　岩下も、その「三悪」をまるで読まないってわけじゃないんだ。読んでも、「意見」に耳を傾けないだけか。

岩下　そうだ。事実については、新聞からざっと事実だけを頭に入れる。しかし、深追いは避ける。例えば合併報道などでは、その目的を解釈してあったりする。重複事業から撤退するとか、売上げでトップグループに比肩するとか、規模の経済性でコストの競争力を上げるとか──。こういった記述は見て見ないふりだ。第一、本当に合併の経済効果がそうした点に求められるかはわからないし、そういう目的は往々にして達成さ

れないことが多い。第二に、それが実際に経営陣の標榜するものかどうかわからない。記者の勝手な解釈かもしれない。したがって、誰と誰がどういう形態で合併を決めた、ということしか頭に入れない。

朝倉 じゃあ、雑誌はまるで読まないのか。

岩下 いや、批判的に目を通すこともある。なかでも丹念な取材がある場合は、データだけを眺める。批判的というのは、「この数字は事実だが、コメントは背景にある実体とは異なるかもしれない」という前提を持つことだ。メッセージは如何様にでも操作できるからさ。

朝倉 論文や経営本は、「解釈＝意見」だから問題ないとも思えるが。

岩下 それはそれで、頭に他人の解釈が潜りこむことが怖い。自分の思考を放棄しがちになるからさ。私がそういう書物に接するのは、あるテーマについて自分なりの考え方が出来上がった後だけ。自分と違う見方はないか、世間はどう見ているかというチェックが目的だ。

第二章　自立するための思考法

なるほど。岩下や阿部は時間の資源配分を、「学習」よりも「自分で考える」ことにシフトさせているのか。たしかに、読書をすればするほど頭がこんがらがって、コンセプトや用語は覚えても、頭の中がまるでまとまらない状態になるときもある。

自立とは自分の足で立つこと。我々のようなホワイトカラー——知的労働の従事者にとっては、自分の頭で考えるということだ。そのためには、イメージする技術と考えるための環境設定が必要なんだ。朝倉は今日初めて、メモを取った。

異分野からの刺激

朝倉　しかし、岩下も一応は経営コンサルタントだ。経営本は読まなくても、考えるための切り口というか、なにがしかの刺激は必要なはずだ。高い料金を取るからには、クライアントに常に斬新な考えを要求される。どこかで充電しないともたないだろうが、どうやっているんだ？

岩下　ここまでの講義の要点を理解してもらえたようだな。イメージを描き、それを動かすのはそう簡単なことではない。情報遮断を心がけても、やはりステレオタイプ

（固定観念、紋切り型思考）に支配されがちになる。何か違うという思いにとらわれて、新鮮でぴったり来る解決策がイメージできないことも多い。イメージを動かして考えるという習慣を身に付けても、こうした悩みにすぐぶち当たるものだ。

阿部　岩下のように、コンサルティング業界で比較的「長生き」している人間は、経営や経済以外の異分野から刺激を受けているケースが多いね。

岩下　私の師匠筋に当たるコンサルタントは、哲学・宗教・心理学を勉強しろと教えてくれた。事実、最近の興味対象は心理学さ。

阿部　昔から天文ファンだった僕の場合は、量子物理学だね。よくわからんが、知的刺激にはなる。暇つぶしには最適だしね。

朝倉　おいおいおふたりさん。遊びじゃあるまいし、本当にそんなものが役に立つのか。

岩下　信じられなければ、私の経験を話そう。あるマーケティング戦略で、私を救ってくれたのは心理学だった。インタビュー、アンケート、そしてありとあらゆる分析が済んで、問題点はクリアに

第二章　自立するための思考法

イメージできたが、そこからが進まない。何を考えようとしても空回りだ。そのとき私の頭には、「付合いの深い固定客」と「付合いがまだない見込み客」がイメージされていた。問題は、見込み客の数が少ないことだった。これ以上じっと考えても時間の無駄だと思った私は、事務所を離れて本屋に行ってみた。同じような事例はないかと、生物学や物理学あたりのコーナーをぶらついて3時間がたったが、一向に埒が明かない。もう帰ろうかと思ったとき、私は心理学のコーナーにいた。

手に取ったのは、関係心理学の棚にあった恋愛心理についての学術書だ。そこに書かれていたのが、男女関係には2つのステージがあるということ。最初は、赤の他人から友人になるステージ。次が、友人から恋人になるステージ。ステージごとに相手に要求する要件はまるで違う。この1ページで、俄然イメージが動きだした。付合いがない見込み客は「赤の他人」、付合いの深い顧客は「恋人」。この会社は恋人を作るアプローチしかできていなくて、友人作りの政策がない——。それ以来、心理学は私にとってアイディアの宝庫になったよ。

阿部　僕にも、もっと信じがたい体験があるよ。僕は歴史も好きでね。なかでも平安

時代と鎌倉時代の仏教の変遷に興味があるんだ。

朝倉 そういえば、君は京都の寺巡りが趣味だったな。

阿部 なかでも、空海や最澄が開いた密教に関心を持っていた時期がある。密教とそれまでの顕教とでは大きな違いがあるが、一番興味を惹かれたのが「悟り」にいたるプロセスだ。大雑把に言ってしまえば、顕教では数々の荒行をこなさなければならない。ひとつひとつ修行をして自分の覚醒のステージを上げ、最後に悟りに至る。秀才型のアプローチだ。

それに引き換え、空海の密教はまるで違う。言ってみれば、「今日からあなたは仏陀だと思いなさい」っていう立場だ。悟ったんだから、仏陀と同じ言葉をしゃべる——サンスクリットのマントラ（真言）を唱えるわけだ。悟った人として行動しなさい、そのうち本当に悟れるから、って。だから「身口意（しんくい）」を全部まねる。すごくプラクティカルなアプローチだね。全員が悟りの疑似体験をすることができる。着眼大局、着手小局の発想だ。

企業改革にも、顕教型と密教型のアプローチがあると思う。人事制度、本部改革、組

第二章　自立するための思考法

織改革、ITインフラ改革——。全部が終われば良い会社になる、というのが優等生型アプローチ。顕教の手法に似ている。成功すれば素晴らしいが、道は遠い。大衆運動には馴染まないかもしれない。ところが密教型なら、「この仕事については明日から理想的な形で実行しましょう」って宣言すればいい。不都合のある部分だけ、人事でも組織でもなんでもすぐ変える。成功体験が早く得られて実際的だ。

僕が、かつてBPR（ビジネス・プロセス・リエンジニアリング）の社内プロジェクトを指揮したときに採用したのが、このアプローチだった。悩んで悩んでふっと出てきた発想だが、これも密教から刺激を受けたおかげだ。

朝倉　なるほど。経営者たちが、中国の春秋戦国時代や日本の戦国時代に関心を持つのと似ているね。

岩下　40代からは、「自分で考える」ことを得意技にするべきだ。いま20〜30代の若手は、一生懸命に経営理論の言語や論理を勉強している。それはそれで悪いとは思わないが、彼らは手段の目的化というリスクを常に抱えている。それをチェックするのが我々の役割だ。借り物に過ぎない経営コンセプトは最低限知っておくべきだが、そこか

ら先は自分で考える。そのためには経験量が勝負だ。重要なのは現場をイメージし、そのイメージを自在に操ること。40代ならイメージ生成のための材料が豊富で、イメージ操作のための新鮮な刺激となる深い教養もある。このミックスが一番理想的な年代なんだ。

朝倉　ここでも戦略の視点か。自分の得手を徹底的に生かせということだな。経験量と学習範囲の広さなら、俺も部下にはまだまだ負けないと思っている。

岩下　不思議なもので、40歳になるまではさっぱり共感を覚えなかった書物が、ぐいぐい心に入ってくるときがある。昔から心理学はよく参考にしたが、40歳以降のほうが吸収がいい。なかでも臨床心理の話だとか。それだけ人生経験を経たからだろう。

朝倉　早速、「勉強」をしたくなってきたよ。正直なところ、もう経営本にはうんざりだ。久しぶりに、ぜひ哲学書でも読みたい気分だ。むかし読んだ古典でも、引っぱりだしてみようかな。

過去を捨てる勇気

第二章　自立するための思考法

岩下　今日の講義「自立するための思考法」の最後に、大事な原則を追加しておきたい。40代は経験も刺激もちょうどバランスが取れる年頃だと申し上げたが、ただひとつ大きな陥穽がある。

朝倉　落とし穴といえば、ひょっとして「昔はこうだった」「私のときは」という「経験依存症候群」のことかな。

岩下　朝倉も面白いことを言う。

朝倉　わが社でも、経験依存症候群は害毒になっている。別名、「過去の成功体験金縛り症」とも呼んでいるけどね。

岩下　大企業では、ほぼ共通して観察される現象だ。自分の成功体験を絶対視して、単一の価値基準を設定するという、経営者特有の病気さ。

阿部　大事なのは経験とイメージだ。しかし、時には過去の経験を捨てる勇気がないと、「自分で考える」ことはできない。実のところ、一番つらいのがこれなんだ。現場でよく身につまされる。

岩下　「自分で考える」過程での最大の難所だ。あるだけの時間と精力を注いで一生

懸命イメージを動かして、「さあ、根っ子の課題が見つかった!」と雄たけびを上げた翌朝に、ふっともう一度考え直してみるとどうもフィットしない。何とかなるはずだとイメージを微調整するがそれでもダメで、今までの思考過程を全部捨てなければいけないことに気付く。その時の、また一から始めなければという意思決定は実につらい。

阿部　ましてや、異分野や過去の経験からすごいヒントだと思えるイメージがひらめいた後で、これを捨てるのは本当に苦しい。

朝倉　わが社には、いったん得た結論を捨てて、もう一度出直す気概のある上司はいないな。

阿部　こういう事態での意思決定には、有名な「サンク・コスト（埋没コスト）」の考え方を適用するのがふさわしいね。

岩下　過去のコストではなく、今後のリターンだけを考える。「これまでの投資がもったいない」ではなく、「新たな投資に対して、何を得られるか」だけに着目するアプローチだ。

阿部　そう。行き詰まったら、とりあえず過去は捨ててゼロクリアで考えるのがコツ

第二章　自立するための思考法

だ。もしかすると、また過去に考えた枠組みに戻るかもしれない。それはそれで構わない。

岩下　このサンク・コストの考え方は、第2回講義の「分析技術」でも同様だ。いかに過去に一生懸命分析したとしても、汗をたくさんかくことと真実とは違う次元にある。あっさり捨てる勇気が真実への道だ。

阿部　岩下先生の第1回講義録をまとめておこう。といっても1ページだけだがね。

第1回講義まとめ

● **自分で考える**
　——判断基準は「自分の目」。「他人の目」を判断基準にしてはならない。

● **考える＝イマジネーション**
　——「左脳」で考えるな。言葉や論理は伝達の手段に過ぎない。
　——イメージを描くキャンバスは「右脳」＝想像力の世界。

● **考えを深める＝イメージを動かす**
　——「あるべき姿」を想像し、課題の「根っ子の原因」を把握する。

● **自分で考えるにあたっての障害を除去する**
　——事実と意見を区別し、事実だけに耳を傾ける（例・三悪追放）。

● **発想を豊かにする技術を身につける**
　——異分野からの刺激で、イメージの動きを変える。

第二章　自立するための思考法

● 「過去を捨てる勇気」を持つ
──間違ったと気付いた段階で、その考えは捨てる。
──過去の体験・成功・努力にとらわれると発想は縮む。

● 自立した個の前提条件は、「自分の頭で考える」習慣

第三章　本質をえぐる分析技術

新たなる挑戦

前回の講義からすでに2カ月が経った。

「自立するための思考法」の講義は、過去と他人の意見を捨て去るという「捨てる戦略」を核としたものだった。知識を与えるわけでもなく、「経営書を読むな」とか「考えるのはイメージだ」といった非常識の視点も盛り込まれていた。「捨てる」「教えない」「非常識」という、新橋ビジネススクール運営の基本原則どおりだ。

魚の釣り方を学んだからには、腕前を試す時間が必要だということで、しばらく講義はない。「自分で考える」実践のなかで次の課題にぶち当たったときに、第2回目の講義を要請することになった。

第三章　本質をえぐる分析技術

朝倉は講義の翌日から、日本の新聞は10分以上読まないことにした。代わりに通勤電車で英字新聞に挑戦している。経済雑誌の購読もすべてストップし、読み物は「ビジネスウィーク」に一本化。早く家に帰れたときは、ラ・ロシュフコーの『箴言集』を読む。「自己愛」を切り口に人間行動を論評した辛辣な書で、深い洞察には大いに刺激を受ける。

こうして「他人の意見」から断絶されて2カ月。たしかに情報は遮断できた。簡単なことだ。しかし本当の目的である、自分の頭で考える習慣がついてきたという実感はまるでない。頭の中が空っぽになっていくような恐ろしさにとらわれた。上司に「あの記事を読んだか?」と聞かれて、「いいえ」としか答えられない自分に焦燥感すら感じる。新橋ビジネススクールの教えを信じるしかないという気持ちと、コンサル岩下の調子いい口車に乗せられただけではないのかという不安感が交錯した。

そんななか、新しい仕事を命じられた。東部電機の家電販売子会社・東部電機販売の再生プランを考えるプロジェクトであった。

先だって朝倉は、東部電機販売の表面上の課題と根本課題について、簡単なレポート

をまとめていた。商品ラインが適正量の倍はある、という刺激的な内容だった。他の部署からも数々のレポートが提出されたが、どれもこれも判じ物のように「リストラ」「選択と集中」「親会社依存体質からの決別」「営業力の強化」といった汎用的な経営改革キャッチフレーズが踊るばかり。荒削りだが現場感の詰まった朝倉のレポートは、異彩を放っていたそうである。少しは情報遮断の効果もあったのかもしれない。

リーダーは朝倉。メンバーには、同じく経営企画部の可南子のほか、関連事業部および販売部門の社員が加わった。

朝倉　新橋ビジネススクールもしばらく休講だな。忙しくなりそうだ。
可南子　次長、なんですか。そのなんとかスクールというのは。
朝倉　いや独り言だ。それより、これから忙しくなるが大丈夫か。勉強の邪魔にならなければいいが。
可南子　ちょうどナイトスクールで戦略マネジメントのコースを取っているところですので、勉強になると思います。まだ若いですから両立させます。
朝倉　私にも是非教えてくれよ！

第三章 本質をえぐる分析技術

そんな言葉が自然に口をついて出た。まだまだ新橋ビジネススクールの教えを体得したとは言いがたい、という気持ちのせいか。いつの間にか、可南子の若さも頑張りも素直に応援できるようになっていた。

常識の壁

東部電機販売再生プロジェクト、略称プロジェクトWがスタートした。しかし、のっけから大きな問題が発生した。アプローチが決まらないのである。課題を抽出し、解決の選択肢を提案・評価し、最終解決策を立案し、行動計画を書く、という大きな枠組みは共有されている。争点は、課題の抽出と特定化をどう行なうかだった。

朝倉 私の考えでは、課題は商品アイテムの多さに凝縮されています。売れ筋でない商品を抱えすぎたことが、全ての根本にある。現場の営業担当は多様すぎる商品の販促・営業活動に、あらゆる業態の家電販売店をくまなく走り回り、疲弊しきっている。資源配分の分散を生じています。活動を集中するべきです。

商品数を絞ることで、大型チェーン店向けと小型の販売店向けの営業組織を再編成することも可能です。無駄な在庫を抱えるリスクも減り、金融収支も改善します。また、部品の共有と規模の経済性を通じたコスト改善も図れる。東部電機販売が強みを持つ光学関係のデジタルカメラや、デジタルビデオカメラは成長分野です。この2つの商品について消費者やチャネルの情報を十分に吸い上げることで、販社から本社製造部門に対して製品改善・開発の要求をよりポジティブにフィードバックできるはずです。プロジェクトWでは、商品軸での「選択と集中」が大きな挑戦課題だと思います。

関連事業部 いや、朝倉さん。何も調べてないうちから課題を特定するやり方には馴染めないね。我々は現場に一番近い部署だから、現場の気持ちは痛いほどわかる。東部電機販売には、販売データもまともに蓄積されていない。この機会に、販売データ分析を綿密にやるべきだ。あなたの推論が正しいかどうかは、分析結果を見た後で判断しても悪くないんじゃないかね。起死回生をめぐる最初で最後のプロジェクトに失敗は許されない。慎重に、あらゆる分析をしないといけないよ。

販売部門 私は、朝倉さんの考えがそもそも間違っていると思います。できた商品を

第三章　本質をえぐる分析技術

売り切るのが販売部隊の役割です。今まで業績が悪いといってリストラをしすぎました。営業マンは疲弊し、士気は地に堕ちている。これまで我々を支えてきたのは、総合電機メーカーというプライドです。「選択と集中」だか知らないが、製品ラインを縮小すればわが社の存在感は希薄になる。販売店からも相手にされない。分析なんかしなくても結果はわかっています。本社に営業部隊の増強の要求を突きつけるのが、このプロジェクトの意義じゃないんですか。今すぐ手を打たないと、販売は総崩れになってしまう。

まさしく三者三様。がっぷり四つに組んでお互い一歩も引かない膠着状態のまま、すでに2週間が経った。朝倉は、かなり参っていた。

可南子　私には朝倉次長の案が正しいように見えますが、やり方が少し荒っぽいようにも感じます。いま受けている戦略マネジメントの講義では、自社の強み、弱み、機会、脅威を分析していく必要があると習いました。そうした分析なしには私も納得できません。正しいアプローチで課題解決に向かうべきではないでしょうか。

頼るべきものは、新橋ビジネススクールしかなかった。第1回講義の内容も未消化の段階だが、手順をひとつずつ踏んでいる余裕はない。まずは第2回目の講義要請だ。教室はいつもの新橋亭新館。朝倉は、阿部と岩下に経緯をこと細かに説明した。

岩下 すこしは第1回目の講義内容を理解したようだな。でも壁にぶつかるのは当たり前さ。3時間の講義でマスターされては、我々は即失業だ。

阿部 壁は高いよ。プロジェクトをこのまま放置すると、「会議は踊る」状態になる。声の大きい人の提言を全面的に採用して、申し訳ばかりに朝倉の主張を盛るような調整作業になってしまう。いわば政治的決着だ。

朝倉 それでは、今まで俺がやってきた仕事と何も変わらないよ。自分の意見を押し殺し、参加者の利害調整に明け暮れて、どこからも大きな文句の来ないように動き回る。経営企画部なんて、実のところ企画書の調整係だからね。そんな作業に明け暮れていた自分から脱皮するために、未熟でも自分の考えを盛り込んだレポートを書いたんだ。いまさら引けない。それに、本当に東部電機販売を立て直したいんだ。

岩下 じゃあ、実力行使か？

第三章　本質をえぐる分析技術

朝倉　それも考えたが——。問題は2つある。ひとつには、俺の指摘はそんなに間違っていないと思うが、十分自信があるわけではない。それから、他の部門を完全に敵に回しては改革は進まない。納得すれば動いてくれる連中だと思うが、納得を得られないんだ。岩下、コンサルタントはこういうシチュエーションで働くことが多いだろう。どうしたらいいか教えてくれよ。

岩下　コンサルタントとして、この状況に正確な答えを出すのには金がかかる。生半可な提言はできないし、作業も必要だ。だが、新橋ビジネススクールの講義としてなら別だ。我々は細かい具体的なことは教えない方針だから、考え方の骨子だけを講義しよう。第2回目は「分析技術」。あとは君が考えて、実践してくれたまえ。

科学的合理主義

岩下　のっけからなんだが、「精神と物質」という対比を知っているか。
朝倉　そりゃ知ってるさ。相変わらずだな。それにしても、分析技術の話に哲学か。
　西洋文明を中世から近代に跳躍させた最大の功労者、デカルトの二元論だろう？　この

考え方が、精神や神の発想から生まれた中世的な世界観・科学観を打ち破った。以降、宗教は精神の分野に特化し、科学は物質の分野に特化する。

岩下　そうして物質の世界は、客観的に分析できる世界だ、と定義された。言葉を変えると、精神の世界は主観の世界、物質の世界は客観の世界、ということだ。

阿部　客観的に分析できる物質の世界を、数学的に分析・記述したのがニュートン物理学だね。ここに物質を中心とした科学的合理主義の手法が完成した。そしてこの科学的合理主義が、近代から現代までの物質文明の繁栄を生み出した。とまあ、ちょっとした文明論だ。

岩下　物質を対象にスタートした科学的合理主義は、やがて人間世界の分析にも持ち込まれた。自然科学から社会科学への進化だ。その社会科学の分野で「女王」といわれるのが経済学。経営学は、そもそも経済学の一分野から出発したものだ。おっと、いきなりサミュエルソンかなにかの教科書の冒頭のようで申し訳ない。

朝倉　岩下は生粋のシカゴ学派人間だからな。近代経済学好きが高じて、結局アメリカに留学までしたくらいだ。ビジネススクールに行ったわりには、経営学ではなく経済

84

第三章　本質をえぐる分析技術

学ばかり勉強していたそうじゃないか。

岩下　経営学を勉強して面白かったのは、複数の立場があるということだ。戦略論というのは、どちらかというと経済合理性追求の経済学に近い。組織論は、社会学や心理学に根っ子がありそうだ。マーケティングは、古典的な立場なら社会学・心理学寄りに見えるが、最近では経済学に近いアプローチもある。ファイナンス理論は経済学そのものだ。本日お話しするのは、企業戦略を経済合理性すなわち科学的合理主義の立場から考える方法について。それを分析技術と呼びたい。

阿部　経済合理性の追求が、日本企業の挑戦課題だと言われるね。この背景には、デカルト－ニュートン型の科学的合理主義がある。

岩下　そのとおり。科学的合理主義アプローチの特徴は、いつものとおり３つだ。
① 物質世界では客観的に観察、証明可能な真理が必ず存在する（客観的真理の存在）。
② 物質は要素に細分化可能である（還元論）。
③ 各々の要素には、因果関係を導き出せる（因果律の前提）。
この考え方を会社の分析に導入したのが、「経営を科学する」というスタンスだ。

朝倉 経営分析も、デカルト-ニュートン的な科学的合理主義を前提としているってことだな。まず、そこには必ず正しい経営のあり方が存在している（真理）。だから、会社をいろいろな構成要素に分解し（還元論）、因果関係を見つけ出せばよい（因果律）、ってことだ。俺だって、これくらいはわかる。

岩下 そう。中世の宗教的世界観における迷信や無知を否定して、新たな理性の光を投げかけたのが科学的合理主義手法だ。企業経営に、明らかな迷信的要素や無知に基づく誤った政策が採用されている場合も、この手法の導入には意味がある。

阿部 とりわけ、1990年代以降のわが国の企業経営を考えるためには有効だよ。成長を前提としたそれまでの経営モデルでは、拡大し続ける陣地を先に押さえさえすれば成功は保証された。いわばトップラインというか、売上げ至上主義の拡張一本槍政策で、あまり難しいことを考えなくても勝てた。声が大きく人付き合いの良い経営者が上に座り、愛嬌を振りまいて市場拡張に邁進すればよかった時代だと揶揄する人もいる。

しかし市場が成熟した途端に、このやり方ではうまくいかなくなった。限られた資源を厳密に配分しないと経営成果はでない。どこにどれだけの資源を投入して、それがど

86

第三章　本質をえぐる分析技術

のくらいの効果を上げるかを厳密に分析しなければ、ボトムライン、すなわち利益水準を上げる経営はできない。費用対効果という因果関係を明確に捉えなければいけなくなったわけだ。しかし現在もわが国の企業経営には、前時代的な拡張一本槍の遺伝子が存在している。だからこそ、科学的合理主義によるチェックは欠かせないね。

朝倉　ここだけの話だが、営業マンを増員して士気を上げれば苦境は乗り越えられる、という販売部門の意見なんか、この考え方で葬り去れるわけだ。彼ら自身、経済合理性からすれば絶対に通らないとわかっていながら主張している。

阿部　いやいや、物騒な言葉を使うね。でもたしかに、科学的分析をすればとんでもなく的外れな選択をすることはなかろう。

朝倉　営業マン増員のコストと現在の赤字を吸収するためには、どれほど莫大な利益を上げなければいけないか——。費用対効果が悪すぎる。

岩下　そういう分析は、押さえておいたほうがいい。ここでのポイントは、数字に幅を持たせるということ。アバウトでいい。士気が上がったがために、どこまで売上げが伸びるかということなど、誰にもわからない。しかし、どの程度のレベルを売上げなけ

ればいけないかは、計算すればすぐわかる。それを提示してやれば、そういう議論はすぐに殺せるものだ。

朝倉 早速、販売部門に宿題を出そう。「感覚で話されても納得できない。営業マンを増員すれば本当に苦境から脱することができるのか、数字で証明してみろ」と言えばいいんだな。

岩下 そうだね。朝倉には「プルーブ・イット」（Prove it＝証明せよ）という言葉を教えたい。経営に科学的合理主義を持ち込むのが、最初のステップだ。この考え方では、あらゆる主張は数字に置き換えて因果関係として分析できる。何か主張が出たら、一言「プルーブ・イット」と言えばいいんだ。

分析もどきと分析症候群

朝倉 ここでいう分析は、因果関係分析のことか。

岩下 よくコンサルタントが使う手法に、「ピラミッドの原則」というものがある。結果として起きた現象を、その結果を生み出した要素に因数分解していって、要素ごと

第三章　本質をえぐる分析技術

に因果関係を証明しながら課題を解決するアプローチだ。

例えば、売上げは営業マンの人数と1人当たりの売上高に因数分解できる。この数字がさらに他の要素に分解できないかを考えるには、因果関係を分析しなければならない。営業マンの必須能力で明快に証明できることもある。こうやって結果を因数分解していくと、最後に独立した政策変数群に還元される。裾野が広くなるわけだ。この過程がピラミッド状になる。

朝倉　それはわかる。しかし俺がいま直面している課題でもうひとつ厄介なのは、関連事業部の見解だな。彼らは分析はすべきだと言っている。けれど、どんな分析をするかはやってみなければわからない、という立場だ。そのうちピラミッドを作るから、それまではいろいろ「分析」作業をしたいと言うんだ。

岩下　それは初級コンサルタントがよく陥る罠だ。分析の定義ができていないのさ。単に数字をいじればいいというわけじゃない。科学的分析とは、因果関係に着目した分析だけを指す。

阿部　よく「分析」といって見せられる数字に、利益の推移のグラフや、他社とのコ

ストの比較、シェアの分布状況のグラフなんかがあるが、あれは大きな間違いだ。数字をグラフにしただけで、分析したと勘違いしているんだろう。何の因果関係も存在しない「分析もどき」は分析とは呼べないよ。

朝倉 関連事業部の考えている「分析」は、因果関係分析には見えなかったな。なにを分析するんだと聞いてみたら、利益の推移、売上げの推移、商品別売上高の推移、地域別販売実績、販売店別商品別売上実績、営業マンの売上げ推移、シェアの推移——。そんな数字をグラフ化する作業が延々と続いていた。

岩下 私はそういう分析もどきを、本格的な因果関係分析と区別するために「ディスクリプション（描写）」と呼んでいる。部下がつまらない単なるグラフを持ってきたときは、一言「ソー・ホワット?」(So what?)「何が言いたい?」と尋ねる。

因果関係を数字で分析するという手順を踏んでいれば、回答は簡単だ。「YはXが原因になって決まっている。したがって、Xの水準をここまで上げればYを目標水準に持っていくことは可能だ」という具合に、「何をすべきか」が明らかになる。行動へのイ

第三章　本質をえぐる分析技術

ンプリケーション（示唆）があるね。でも、利益が他社に比べて大きく落ちている、という示唆は何にもない。そういう分析の偽物が「描写」だ。

阿部　数字の好きな人に、分析もどきを駆使する人が多そうだね。

朝倉　いや、俺も人のことは言えない。分析だと思い込んで、この類のことをやっていた。因果関係のないグラフは、業績の紹介や現状の確認に過ぎなかったんだな。社内のレポートでも、そういった分析もどきが数枚あって、その後いきなり「だからどうする」という提言や方針がついているケースが多い。段取りがまるで間違っているわけだ。

岩下　そう。理想的なレポートなら、こういう流れが一般的だ。

① 現状の簡単なレビュー。これは「描写」で構わない。
② 現状＝結果をもたらした原因は何か、という因果関係の分析。最大の焦点だ。
③ 課題の構造と、結果が生まれる経緯を整理。
④ だからどうする、という行動の提言。
⑤ それをどうやる、という計画。

朝倉 いろいろわかってきたよ。分析というのは、因果関係を特定化するための作業だね。そして会社の分析＝因果関係分析は、いろんな問題点の原因を探る作業としてすごく大事だ。原因すなわちインプットがあって、結果すなわちアウトプットがあるという、関数関係を前提とする考え方だってことか。

岩下 そうなんだが、関連事業部の方々に対して、分析とは因果関係を探ることだと説得できたとしよう。そうすると、あらゆるデータを持ってきて、思いつきで因果関係の出そうなものを端から分析しはじめる可能性がある。

阿部 僕もそういう作業をする部下を見たことがある。あらゆるデータを２軸で分析したり、多変量解析などで回帰分析したり。まさに分析症候群というか、分析中毒とでも呼ぶにふさわしい。

朝倉 うーん、そういう場合も「ソー・ホワット？」と聞いてやればいいのかな？　どうしてそういう因果関係になるかは、たぶん説明できないだろう。たまたまそういう傾向の合致があっただけかもしれないし、因果関係がブラックボックスになっていて、再現可能性も検証できない。

第三章 本質をえぐる分析技術

岩下　そのとおり。そういう分析をよしとする「複雑系」という考え方もあるが、経営分析の場ではまだ確立したとは言えないアプローチだし、素人のむやみやたらな分析とは違う。最大の問題点は、実は分析者が何も考えていないということだ。頭を使っているつもりで、単なる人間計算機と化している。

朝倉　「自分で考える」ステップを経ていないんだから、そう言えばそうだ。前回の講義も、結局は因果関係をイメージしろということに尽きるね。

優等生型悉皆調査

岩下　朝倉、わかってきたじゃないか。そのとおりだ。「自分で考える」という工程を経て、はじめて意味ある因果関係分析に移ることができる。

朝倉　しかし、実際問題としてどうだろう。岩下に教わったことでもあるし、俺はどちらかというと少ないインプットでイメージを捉えて、すべてがわかっていなくても頭の中でひとつのモデルをこしらえて、そこから因果関係を想像するというアプローチでやってみたい。だが、関連事業部の連中は、因果関係を「自分で考えろ」と指示した途

端に、猛烈な現状把握作業に入ってしまいそうな気がする。

阿部　そうだね。想像力を発揮する訓練も、習慣もなさそうだからね。

朝倉　俺のアプローチがイマジネーションだなんてことを伝えたら、「そんないい加減な思考で結論を出せるわけがない」と大反発を食らいそうだ。そういうことは言わないようにしているがね。

岩下　イマジネーションのアプローチに偏見のある人は多い。一種の非常識だからね。わが国の大企業のエリートサラリーマンの多くは、そちらに軍配を上げるだろう。

阿部　岩下の大嫌いな「優等生型悉皆調査」アプローチだ。こんなものは、実務的にはナンセンスだがね。

岩下　コンサルタントが初級ステージで悩むのがここだ。すべての情報を頭に入れて考えないと正しく理解できない、理解できなければ診断も正しいはずがない、と考えてしまう。実務はクライアントのほうが絶対に詳しいのに、実務を知り尽くさずに何の提言ができるかと言って、すべての情報を猛烈に集めようとする。そうして連日徹夜して

第三章 本質をえぐる分析技術

土日も働き続けるうちに、考える時間も体力もなくなって、なんの結果も出せないという罠にはまる。

朝倉　うちのチームの将来を見ているようだ。このままでは分析する前に、時間切れを迎えてしまう。まずは経済合理性を主張して、若干のシミュレーションをすることで、非合理な主張に蓋をする。プルーブ・イット精神だね。その後は因果関係を分析しようという合意を形成するしかない。

岩下　この新橋ビジネススクールの方法論は「捨てる」「教えない」「非常識」が柱だが、分析技術の根幹も捨てる戦略と非常識の視点だ。我々の仕事も朝倉のプロジェクトも、資源制約に直面している。チームメンバーという働き手のパワーにも限度があるし、締め切りも設定されているだろう？

朝倉　与えられた時間は２カ月だが、すでに１カ月弱を浪費してしまった。

岩下　厳しいな。何かを切り捨てない限り結果は出せないね。いま君のチームでは、時間制約は意識されているかね。

朝倉　そこが問題だ。彼らは、「重要な意思決定なんだから、もっと時間をもらうべ

き」と言い張っている。しかし経営陣は、「2カ月もあれば十分」と言う。グループ全社のたかだか5％程度の売上げしかない事業に、それ以上時間をかけてもしょうがないという意識だ。

岩下　それでは、メンバーに資源配分の制約を明確に意識させたほうがいい。制約の中で、最大限に効果を刈り取るアプローチを取らなければ、プロジェクトは失敗する。

仮説検証法

岩下　我々が「優等生型悉皆調査」に代わって採用しているのが「仮説検証法」だ。

朝倉　仮説検証っていう言葉は、最近のビジネス書にもあふれている。有名な経営者たちもよく口にするコンセプトだけれど、いまひとつピンとこない言葉の代表選手だな。

岩下　私も初めて「仮説」を立てろと言われたとき、何をしたらいいのか皆目見当がつかなかった。「仮説」という言葉の、実務上の意味や作業のイメージがわかなかったからだ。朝倉は今回のプロジェクトで、課題の根っ子にある原因を推論した。言ってみれば、課題の本質についての現時点での答えを、限られた情報量のなかで出したわけだ。

第三章　本質をえぐる分析技術

朝倉　根っ子の原因から考えて、現時点での俺の解決策も提示したよ。

岩下　それだ。まだ情報量も不十分だから自信がないが、確率的にそうだと考えられる（決して強いとは限らない）根拠が存在していて、かつ論理的に因果関係が明らかだと思われる解答。その「限られた情報から推定した、課題の原因や解決策についての暫定的結論」を、仮説というんだ。

阿部　もっと簡単にいうと、現時点で君が信じる答えだね。

朝倉　じゃあまさに、俺がレポートに書いた「商品ラインが多すぎる」というのが仮説だったんだな。

岩下　そのとおり。君はそうした原因仮説を考えるにあたって、最低限の情報を集め、因果関係を推定した。その仮説を証明する分析が、次のステップになる。

朝倉　そうか、俺が考えた因果関係を、数字で示せばいいのか。データは営業日誌からでも取れる。「営業活動の分散が売上げ減に結びついている」ということは、営業活動水準と売上高の相関を分析すればいい。なるほど、因果関係の分析だ。でも実はね、俺は自分の「商品ラインが多すぎる」という仮説に、全幅の信頼をおいているわけじゃ

ない。

岩下　それはそうだ。もし全面的に信用できるなら、検証の必要はない。いずれにせよ、朝倉の仮説は単なる思いつきではないから、大外れはしていないだろう。分析で証明されれば非常にハッピーだし、反証されたら設定を変えるだけだ。だいたい仮説が反証されるときは、さらに大きな発見につながるケースが多い。当たりをつけて、ここだという場所だけを深く掘り下げるんだ。

例えば阿部の肖像画を描くとする。阿部を阿部たらしめている最大の特徴が目だとしたら、目を一生懸命描いて表現するのが仮説検証法だ。優等生型悉皆調査では、阿部のすべてを超写実主義で丹念に描き込んでいくから、莫大な時間がかかる。

阿部　ようするに、大事そうなところから順に分析を深めていくんだ。悉皆調査アプローチでは、大事だ大事じゃないという視点とは無関係に、機械的に万遍なく分析を進めていく。

岩下　図にするとわかりやすい。横軸が時間で、縦軸は成果。この場合は正しい原因の特定と置こうか。悉皆調査アプローチでは、調査が全部終わったところで初めて成果

第三章　本質をえぐる分析技術

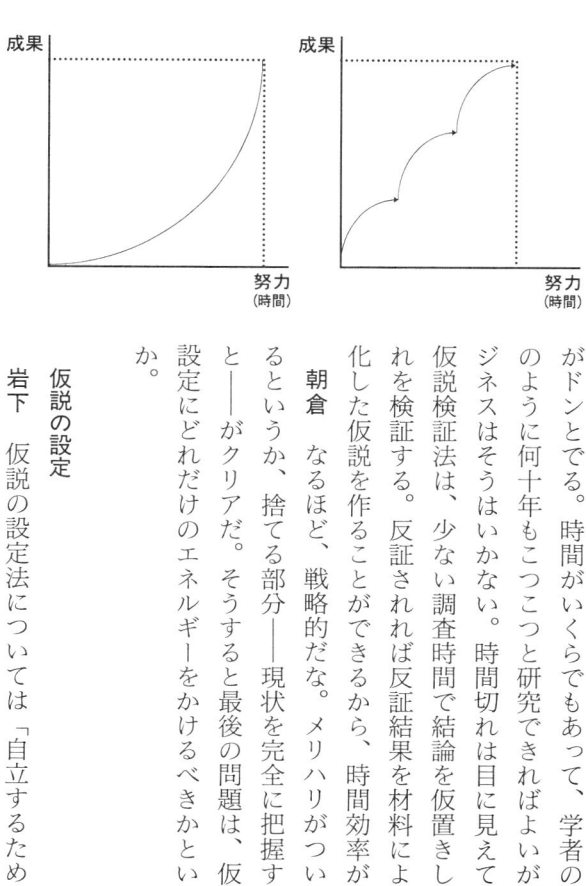

優等生型悉皆調査　vs.　仮説検証法

がドンとでる。時間がいくらでもあって、学者の研究のように何十年もこつこつと研究できればよいが、ビジネスはそうはいかない。時間切れは目に見えている。仮説検証法は、少ない調査時間で結論を仮置きし、それを検証する。反証されれば反証結果を材料により進化した仮説を作ることができるから、時間効率がよい。

朝倉　なるほど、戦略的だな。メリハリがついているというか、捨てる部分——現状を完全に把握すること——がクリアだ。そうすると最後の問題は、仮説の設定にどれだけのエネルギーをかけるべきかという点か。

仮説の設定

岩下　仮説の設定法については「自立するための思

考法」の講義と大いにダブるところだけれど、いくつか大原則がある。
①インプットする情報の質と量に十分注意を払う。
②考えるための刺激剤を放り込む。
③違うと思ったら捨てる勇気を持つ。
この3つだが、②と③については前回の講義に十分盛り込んだので、ここでは①にフォーカスしたい。

朝倉　要点を俺流に言い換えると、自分の頭で考えるスペースを確保することと、頭を汚染から守ることだね。

岩下　そのとおり。まず情報の質についてだが、「三悪追放」のところで話したとおり、「事実」に限定し、絶対に「意見」を頭にインプットしないこと。情報を集めるにあたっては、いろんな関係当事者にインタビューをすることになると思う。先方はここがチャンスとばかりに自分の意見を伝えようとするが、こちらが欲しいのはあくまで事実だけ。聞き手としゃべり手の利害が相反するから、まず事実と意見を峻別する必要がある。そして意見だと判断できる発言に出会ったら、そう考えるに至った経緯を尋ねるん

第三章　本質をえぐる分析技術

だ。「何故だ」と聞き返し、どんな事実からそういう意見を形成したかを聞いていく。意見は耳に入れても、鵜呑みにしてはいけない。過去の文章や記事をリサーチするときも同様だ。普段から意見の部分は無視したほうがいいが、この場合も切り落として考える。そして、基本的なデータは未加工の状態でいいからざっと眺めておく。なにが事実なのか、数字で確認をする習慣を怠ってはならない。インタビューでもマスコミ報道でも、事実にバイアスがかかって、いわば意見の衣をかぶって語られることが多いからだ。

　まとめると、何が問題で何故そうした問題が起きるのかという因果関係を、淡々と発見するのが仮説設定のポイントだ。因果関係を考える材料として、それから因果関係を示す証拠としての事実を集めるのが大切だ。

　朝倉　「何故（Why）？」という疑問を頭に入れながら事実にあたるのか。情報収集の時点から、因果関係を考えておくわけだ。

　岩下　絶対に避けるべきは、とりあえず情報を集めて後で考えよう、というアプローチだ。私の同僚がいいことを言っていた。「人間が一番頭を使うのは、他人と話してい

101

るときである」というのが、彼の証明されざる仮説だ。他人と話して情報を集めているときに、同時に自分でたくさん考えて、それも「何故だろう」と疑問を持って考えていれば、いい質問ができるという。私も同感だ。よい質問は、事実を拾い、因果関係を解き明かす。こういう「質問力」がついてくると、インタビューを受けた相手の頭も整理されて、先方から感謝されたりするものだ。

続いて情報量の問題だが、これは難しい。ただいずれかの時点で、これ以上情報を入れてもしかたないという段階に達することは確かだ。情報量が増えすぎると、エントロピー増大の法則ではないが、むしろ頭が混乱してしまう。悉皆調査のマイナス面はここにもある。

会社を科学的合理主義にもとづいて機械論的に分析するといっても、所詮は人間社会の問題だ。かならず精神的な要因の影響を受けるから、物質的な分析だけではすまなくなる。会社が機械ではない限り、現実に起きていることは確率的に起きたに過ぎず、物理法則のように完璧ではない。分析結果に誤差はつきものだが、それが大きくなりすぎると中心のメッセージがぼやけてしまう。

第三章　本質をえぐる分析技術

実務的には、なるべく少ない情報で仮説を作るという方針が大事だ。インプットがあるごとに自分の頭で考えてみて、もやもやが激しいときには次のインプットを求めるという、抑制的な態度で情報収集に臨む。情報は多ければ多いほど良いと勘違いして走り回る人がいるが、逆転の発想で情報量をコントロールしたほうがいい。私の師匠は「体に汗をかけ、しかし脳みそにはもっと汗をかけ」という言葉で教えてくれたよ。

3つのC

岩下　私はこの、仮説設定から検証にいたるプロセス、言葉を変えれば「自分の頭で考え」て「分析」により証明するプロセスを、「3Cプロセス」と名付けている。コンサルティング会社がよく用いる頭文字組合せの陳腐な発想だが、こうしておくと忘れにくい。まあ備忘録がわりの略語とでも思ってくれ。3つのCはCollect→Create→Confirm。最後はProve（証明する）にしたいところだが、こじつけるためにしかたなくこうなっている。

阿部　最初のCのコレクトは、自分の頭で仮説を考えるために、最低限の上質の事実

に基づく情報を収集すること。それを基に、次のCでクリエイト、すなわち仮説を構築する。現象として発生している課題を生み出した原因は何なのか、暫定的な所見を出すことだね。これは「Aを生み出す原因はBである」という風に、因果関係として語られる。そしてこの仮説を検証、すなわち最後のCでコンファームする。まさしく分析作業だ。検証されればそれでOK、反証されたら違う仮説を作る。反証という貴重な新情報を加味して、仮説を再度考えるわけだ。

岩下　完璧だ。むかし教えたからな。

阿部　身に着けるのに1〜2年はかかったけどね。僕の経験から言うと、自分がこの3Cのどの段階で活動しているか、いつも意識していることが極めて重要だ。意識化すること。ただ闇雲に情報を集めたり考えたりすると、結局は頭が混乱して、焦燥感ばかりが募ることになる。段取りを考えて、段取りごとに作業を入れ込むことでストレスがどんと減る。ワークプランも立てやすい。「検証や反証のタイミングを考えると、いついつまでに第一次仮説ができていなければ厳しい。だから今のうちに、このくらいの情報収集をやっておかないといけない」といった具合に、お尻か

第三章　本質をえぐる分析技術

ら考える習慣がつくはずだ。

阿部　世の中には、こんな枠組みなしでもこの3つの工程を、無意識に瞬時に組み立てて自然体でこなしてしまう人や、全て同時に処理できる人もいるらしいね。

岩下　天才のアプローチだ。しかし不幸にして、そういう人は今までのコンサル人生でも1人しか見たことがない。でも、ほとんどの人は凡人だ。また「真似る」というのは、どんな芸事でも創造性の出発点だという。真似て、やがてそのスタイルを捨てたところに創造性があるという理屈だ。枠組みから始めて、慣れてから捨ててもいいんじゃないかな。

阿部　そういう進化の考え方が大事だと思う。この手の枠組みは、これが正解だとは信じないほうがいい。とりあえず習っておく。そして使っておく。そこから自分のスタイルに発展させるという精神が必要だし、大事だ。朝倉も時間をかけて実践しろよ。

尻から考える

朝倉　先ほど岩下は「尻から考える」という言葉を口にしたね。ひょっとしてこれが、

「自分で考える技術」「分析技術」における最重要キーワードなんじゃないか？

岩下　なるほど、朝倉。いいところに目をつけた。ほとんど意識しないで、そういう言葉を使っていたよ。「物を考えるときは出口から」「尻から考える」というのは我々の暗黙の前提だから、伝えるのを忘れたかもしれない。

阿部　そう、尻だね。僕が朝倉だったら、こういう説明をするよ。

"我々のプロジェクトには時間という資源の制約がある。メンバーの体力にも限りがある。「頭から考える」というアプローチでは、この期間では一部を眺められても結論は出せない。制約は所与のものとして、まずはこの状況で効果・効率が最大限に上がるやり方を精一杯実践したい。それでダメなら、私が責任をもって対処する。

私の提案は、「尻から考えよう」ということだ。暫定的な結論を考えるための材料はそろった。とりあえず、これ以上の情報収集はやめよう。手元にある情報から、何が結論なのか僕らの頭で考えようじゃないか。我々が得たいのは、どうしたら東部電機販売が立ち直るかという提言だ。そのためには、現在の窮状を招いた原因を炙りださなければならない。因果関係の推論が大きな仕事だ。原因は複数あるかもしれない。現状をい

第三章　本質をえぐる分析技術

くつかの塊に分けて、因果関係を検討するんだ。ここで出るのはあくまで暫定的な結論、すなわち仮説だ。しっかりした分析で検証しなければならないが、検証されれば我々の正式な提言になる。反証されれば次の仮説を作り、検証する。検証を試みる仮説は、我々にとっての最大の論点だ。突っ込んだ分析をしよう。大事なところを深く掘り下げられるという意味でも、通り一遍のアプローチより優れている。

早速、課題の整理と原因を推定する思考作業に入ってもらいたい。課題を細分化して、各々の原因を探ってくれ。因果関係を明確にするんだ。明日の夕方、各チームがプレゼンするように"

朝倉　いやあ、できるかな。自信がないな。

岩下　そりゃそうだ。マスターするのには最低1～2年はかかるさ。それでも始めなければ前には進めない。

第2回講義まとめ

● 分析の心＝科学的合理主義
―客観的真理の存在、細分化（因数分解）のアプローチ、因果関係の発見。
―プルーブ・イット精神。証明なき意見は受け入れない。

● 分析の Dos&Don'ts
―Dos：分析＝因果関係分析。
―Don'ts：「描写」は「分析」にあらず。分析症候群に感染注意。

● 仮説検証法の優位性
―捨てる戦略：完全な理解を求めず、重要な事柄にフォーカス。
―時間制約のなかで、最大効率で最大効果を刈り取る。

● 3Cの方法論
―コレクト（Collect）、クリエイト（Create）、コンファーム（Confirm）。

第三章　本質をえぐる分析技術

●**尻から考える**
――結論から考え、仮説を構築し、因果関係を分析。
――常にワークフローを意識化する。

第四章 メッセージを売り込め

プレゼン失敗

第2回目の講義から1カ月半が経ち、懸案のプロジェクトWもなんとか完了した。朝倉の初期仮説は、稚拙ながらも無事証明されたのだった。はじめて経営陣を相手に〝プレゼン〟を行なった。恥ずかしいくらいの出来だったが、最後はねぎらいの言葉をかけられた。

英語の勉強はまじめに続けている。時間をかけて「ビジネスウィーク」を精読しても、半分も理解できないことが多いが、2カ月前よりはましだ。昼休みに「ビジネスウィーク」を耽読する姿をたまたま可南子が見かけたようで、それ以来、彼女の視線が気になる。そんなことも妙に学習意欲を駆り立てた。

110

第四章　メッセージを売り込め

行きの通勤電車では、相変わらず英字新聞を読んでいる。独特の単語が多用されていることに気づいて「英字新聞の読み方」というような本を2、3冊読んでから、読解力が幾分か向上した。1時間で、最低でも一面はきちっと目が通せるまでになった。時事問題と経済・経営問題については単語力もずいぶんついてきた。毎日同じような語彙に触れるからだろう。海外出張で英語力が試せる段階ではないが、2〜3年この調子で修練を積めば、何とかなりそうだという期待感もぼんやり見えてきた。

問題なのは「自分で考える」訓練だ。岩下はコンサルタントだから、しょっちゅう新しいテーマを与えられるが、朝倉の場合、大きなプロジェクトに配属されることは滅多にない。「自分で考える」訓練をする場所を探さないといけないと思っていた。

岩下先生には相談しにくいので、弟子筋の阿部に尋ねてみたところ、面白いトレーニング法を授けてくれた。「帰りの通勤電車を利用しろ」という。電車の吊り広告や他人の読んでいる夕刊紙に登場する企業や商品について、何が課題でどうしたら売上げや収益が伸ばせるかを考える。1日1テーマで、1時間みっちり思考作業を行なうというのだ。阿部は岩下からこの方法を教わって、もう5年間も実践しているらしい。

111

電車の中では誰も自分の邪魔はしない。資料を調べようにも何も持っていないから、考えるには最適の空間であるという。完全な孤独になれる。おまけに振動や混雑という適度な刺激もあり、考えるには最適の空間であるという。もっとも岩下は常日頃から、"大事な仕事＝自分で考えること、か。クライアントの書類を電車の中で開くわけにもいかないし、沈思黙考するんだな。あえて適度な通勤時間のかかる距離に住むというのも、分かる気がする。

少しばかり、岩下の教えを信じる気持ちになり始めていた。あの独特の外資系コンサルタント口調に抵抗を感じて、素直には従えない気持ちのほうが大きかったが——。

そんな朝倉に、また厄介な課題が持ち上がった。プロジェクトWのその後である。先週、東部電機販売の社員100名の前で、再生プランのプレゼンを行なった。聴衆の冷たい視線にしどろもどろで、成功したとはいいがたい。不安を感じた朝倉は、可南子にフィードバックを集めてもらった。

朝倉　どうだね、東部電機販売の反応は？

可南子　正直言ってプレゼンは失敗です。3分の1が反発者、3分の1がしらけ層。

第四章　メッセージを売り込め

朝倉　——反発者にしらけ層が同調して、声なき賛同者を飲み込むってことか。どうせ何もできっこないと、たかをくくっています。3分の1は賛同層ですが、若い人ばかりで、サイレントサポーターとでも言ったほうがいい感じです。

朝倉は悩んだ。どうしたら、残り3分の2の社員に共感を持ってもらえるか。やっぱり俺じゃダメなのか。岩下の顔も浮かんだ。だからお説教だけのコンサルなんてダメなんだ。

可南子　それから、次長のプレゼンスタイルですが、私は良かったと思います。論理がしっかりしているように感じました。若い層も同じ感想でした。でも——。

朝倉　でも？

可南子　中間管理職には、すごく評判が悪いんです。「何を言っているかわからない」「現場を知らない本社の押し付け」「学者のたわごと」だなんて、ひどい言い方で——。

しょうがない。いよいよ、新橋ビジネススクール第3回講義「コミュニケーション技

術」の要請だな。ついでに岩下にクレームをつけてやる。朝倉は可南子に聞こえないようにつぶやいた。

メッセージを押し出す

3人は久しぶりに、本校校舎の新橋亭新館に集合した。

岩下　朝倉の状況は良くわかった。あまり恨み言をいうな。コミュニケーション戦略はまだ、レクチャーしていないだろう。

阿部　話を聞く限り朝倉も、「メッセージを聞いてもらう」プレゼンはなんとか及第点のようだが、それは伝達技術としての「コミュニケーション」じゃない。「メッセージを押し出した」だけだ。これまでの思考や分析のまとめという意味で、これは結晶化＝クリスタライゼーションとでもいうべきステージに過ぎない。コミュニケーションとは、聞き手にメッセージを売り込むマーケティング戦略だ。その部分がまったく考慮されていないように思えるね。

朝倉　結晶化？　具体化といった意味だろうか。たしかに俺は、自分の言いたいこと

第四章 メッセージを売り込め

というか、作業の総決算を伝えただけかもしれない。それで共感が得られないのか。まいった、あれは「コミュニケーション」じゃなかったのか。

阿部　相手に共感を持たせ、心と体を動かしてもらって、初めてコミュニケーションと呼べる。一方的に自分のメッセージを伝えるのは、コミュニケーションの必要条件だが十分条件ではない。いい商品を作ったけれど、マーケティングしていないから売れない、というようなものだ。

実務家の阿部の言うことは、なぜか素直に聞ける。阿部のおかげで若干、岩下への不信感も払拭されかかってきた。

岩下　いかんせん、クリスタライゼーションのステージを経なければ、コミュニケーションもあったものではない。まずは、「メッセージを押し出す」ことで商売している戦略コンサルタントの立場から、クリスタライゼーションの3工程についてお話ししておこう。すなわち製品＝素材＝コンテンツのまとめ方だ。基本に忠実にやれば誰にでもできる。

第一が「台本の粗筋作り」。コンテンツの構成だ。これは分析編で話した科学的合理主義の3原則、すなわち客観的真理の存在、因数分解、因果関係の発見、を盛り込むのがポイント。第二は簡単、簡潔を旨とした「台本の製作」だ。そして最後が「台本に忠実な表現」だが、すべてのプレゼンはかくあるべきだね。

朝倉　岩下みたいに口八丁じゃないが、そのくらいは自分でもできたと思うよ。でもこっちはコンサルタントの先生と違って、言いっ放しじゃすまないから悩んでるんだ。

岩下　まあそう言うな。こんな基本部分だって修練が必要なんだ。

朝倉　――悪い悪い。つい絡んじゃって。

リーマンは、岩下たちにけっこう偏見を持っているもんだよ。

岩下　知ってるさ。でもまず聞いてくれ。批判は後で聞く。

朝倉　了解。

ストーリーラインの構成

岩下　3Cで説明した分析の方法論で、コンテンツはほぼ決まるといってよい。その

第四章　メッセージを売り込め

骨格に肉付けして、有効なメッセージ伝達につなげることがクリスタライゼーションの目的だ。早速、「台本の粗筋作り」からスタートしよう。

台本作成作業は、分析を設計するときに始まるといっていい。分析の基本原則は、①会社の経営には客観的真理が存在すると前提し、分析を設計するにあたっては尻、すなわち結論から考える。②真理は因数分解され、課題は樹形図（ツリー）状の構造になる。③因数分解された各要素は、因果関係をどう考えるかで分析される、の3つだ。

この原則を台本の粗筋に落とすことを、「ストーリーラインの構成」（粗筋作り）と呼ぶ。一番簡単なのは、分析作業の手順どおりに、言いたいことを並べることだ。まずは課題の構造を描く。一番大きな経営課題を、いくつかのサブの課題に因数分解するという部分だ。

朝倉　プロジェクトWで言えば、売上げ・利益の減少という課題を、商品力・営業力・チャネル政策の3つに分解したが。

岩下　そして、各々のサブの課題ごとに因果関係分析を設計した。

朝倉　商品力を分析したら、売上高上位5割の商品は収益を上げているが他の商品は

117

赤字という事実から、商品ラインの拡大が商品収益性を毀損しているという因果関係がわかった。営業力では、多様すぎる商品を抱えて営業活動が分散したために、競争相手に比して商品あたりの営業工作で劣位にあることが、売上げの足を引っ張っていた。最後のチャネル政策も同様だ。商品ラインが広すぎて、売れ筋商品を機動的に大手チャネルに投入できていないために、機会損失が発生していた。

岩下　課題はそんな風に整理できる。そして同じ枠組みで、「だったらどうする」という対応策を考える。課題解決の方向性を探るということだ。

朝倉　商品ラインの5割削減で、利益率がどこまで改善するか分析した。そうすると、営業マンの資源を集中できることで商品削減による売上げ減少分のカバー以上にどこまで売上げが増加するか、また大手チャネルに売れ筋商品が届きやすくなることで機会損失がどこまで減るかがわかった。あわせて、売上げ増大と利益率改善の余地もシミュレーションした。

岩下　そして最後に、具体的にどういう改革を行なうかについて考察したわけだ。複数の解決策のオプション（代替案）の評価、そして提言だな。

第四章　メッセージを売り込め

朝倉　そう。50％の商品ラインの即時廃止、まず30％を廃止して次に50％まで持っていく、それから10％ずつ5年間にわたって削減するという、3つのオプションのメリットとデメリットを比較した。そして、2番目のオプションが最適であるという結論を出した。最後はその実行計画を作った。

岩下　いま朝倉がしゃべったことを、そのままストーリーラインの初期構成にすればいい。第1章　課題の構造、第2章　解決の方向性、第3章　解決策の代替案と評価、第4章　提言と実行計画、と並べるんだ。ただ素直に、分析の構造に倣えばいい。

朝倉　これは、自分でも君の言うとおりにできたよ。ほとんど君の言ったとおりの構成になった。それが分析の流れからいっても自然だからね。結論としての真理があって、それに到達するために因数分解して、因果関係を分析するという基本の考え方だ。

阿部　多分、朝倉も気づいたと思うが、この手法を使えばコンテンツは簡潔で単純な構造になる。簡潔がプレゼンの基本思想だ。誰でもわかる、ひねりのないストレートな論理で構成することが重要だね。一般的な日本のサラリーマンが書く書類は、論理が入り組んで、とにかくごちゃごちゃしている。僕が外資系メーカーで学んだのは、簡単で

簡潔な書類の作り方さ。ポイントは表現技術ではなく、論理構成のほうにあるんだ。

スライドの書き方

岩下 それでは第二の「台本の製作」だ。いま朝倉の書いた台本の粗筋（ストーリーライン）に基づいて、プレゼンテーション用のペーパーを作ろう。我々コンサルタントはOHP（オーバーヘッドプロジェクター）でプレゼを行なっていた伝統から、これを「スライド」と呼んでいる。原則は「ワン・スライド・ワン・メッセージ」。単純・簡潔な論理を展開するには、ペーパー1枚につき言うことをひとつに絞るんだ。

朝倉 例えば、「わが社の50％の赤字商品が収益率をx％下げている」というような、1行のメッセージだね。

岩下 そうだ。プロジェクト全体を30ページのスライドにまとめるとすると、先ほどの構成にそって30行のメッセージが並ぶことになる。メッセージだけで結論がわかるようでなくてはならない。30行の散文詩だ。ここではプレゼン用の台本作りを説明するが、メッセージをそのままとめても、すごく読みやすいメモになる。他の書類作成にも応

第四章　メッセージを売り込め

用が可能だ。

阿部　そして、その「ワン・メッセージ」をサポートする分析なり事実なり観察事項なりを、「ワン・スライド」すなわち1ページに書き込む。

岩下　そうだ。メッセージそのものとそれが成り立つ理由や証拠が、同じページにまとまっているという構成だ。メッセージをサポートする素材は、文章なら箇条書きで最大7カ条まで、グラフなら最大2つまでにすること。これは私の経験則だが、聞き手の頭を混乱させないためには、このくらいが限度だ。

朝倉　なるほど。俺の「スライド」は書き込みが多すぎた。グラフもたくさん貼り付けたし。それで所々、論理がぐちゃぐちゃになってしまったんだな。

岩下　まずは骨子となる主張を伝え、聞き手に納得してもらう必要がある。スライドは現場感や事実を中心にして書くのが基本だが、手持ちの様々な材料から、重要度の劣るものをそぎ落としていく。材料が多いほうがいいと勘違いしがちだが、真理は全く逆だ。少なければ少ないほどいい。しかし自分の主張はこうした材料しかサポートしてくれないから、全部落としたら元も子もない。必要にして十分な分量に絞り込むことがカ

ギだ。

朝倉　捨てる戦略の視点だね。

岩下　難しい言葉や抽象度の高い曖昧な言葉は、絶対に使ってはいけない。理想は、小学生でもわかるくらいに簡単な言葉や、誰も間違えて解釈しない具体的な固有名詞で語ること。ここも原則は簡単、簡潔だ。

朝倉　なるほど、「小学生でもわかる言葉」か。構成もメッセージも盛り込む言葉もグラフも、すべて簡単、簡潔にというのが共通しているね。

聞き手を意識する

岩下　最後は、「台本に忠実な表現」をすることだ。

朝倉　そういえば岩下の講演を何度か聞いたが、レジュメどおりだったな。

岩下　最初に全体像をしっかり示し、今どの構成要素について話しているかを明快に伝え、メッセージと、そのメッセージが導き出せると判断した理由を説明する。このスタイルが基本だ。余計なことをしゃべると聞き手が混乱するから、気をつける。ユーザ

第四章　メッセージを売り込め

―フレンドリーで簡単・簡潔なプレゼンでないと、言いたい内容は伝達できない。

朝倉　聞き手に聞きやすいプレゼンね。たしかにその配慮は欠けていたかもな。

岩下　これは合意形成のために非常に大事なことだ。例えば、君のプレゼンに反対者がいたとする。君は、聞き手の全員がプレゼン内容を１００％理解してくれて、その上で賛成・反対の判断をしていると前提していないか。

朝倉　そりゃそうだ。反対って意見を形成できたからには、理解しているはずだ。

岩下　ところがそうでもない。理解できないから反対する、というパターンは意外に多い。理解できないものに対して、人はどういう反応をするかね。他人事であれば、どうでもいいだろう。しかし君のプレゼンは、聞き手になんらかの変化や変革を要請するものだ。わからないものに従って変化しろと言われるより、今のままのほうがいいに決まっている。理解していない人は、ほとんど反対に回ってもおかしくない。

朝倉　――言われてみれば、そういう人が多いかもしれない。彼らにとってみれば、理解できない改革案を作ったのは俺の責任であって、自分たちには何の責めもない。そんな彼らが俺のいうことに従うわけがない。つまり反対は自分が蒔いた種だっていうの

123

岩下　みんながわかった顔をしている席で「わからない」というのは勇気のいることだ。だから、「わからない」という質問はなかなか出てこない。

朝倉　じゃあ、どうしたらいいんだ。

岩下　私の場合は、とにかく何回も嚙んで含めるように、同じようなプレゼンを繰り返す。それから、絶対に理解してほしい層だけを集めて合宿討議をしたり。「討議」と銘打ってはいるが、実体は丁寧なプレゼンだ。少しでもわかりにくいところは全部聞いてくれというアプローチで質疑応答に時間をかけ、丸1日がかりで理解していただく。

阿部　僕も、想定理解度別に複数回の社内プレゼンラリーを企画するケースが多い。理解度のレベルはあらかじめ想定可能だからね。

朝倉　それは勉強になるな。聞き手が内部の人間ゆえの甘えというか、さっと話して資料を渡し、読んでおいてくれというプレゼンだったから、改善余地大だな。しかし、聞き手にとって聞きやすいプレゼンと、メッセージを押し出すという言葉とは、親和性を感じないがね。

第四章　メッセージを売り込め

岩下　いいや。科学的合理主義に立脚したメッセージを、経済合理性を前面に掲げた話し手が、競争原理を主軸に語るんだ。わかりやすく伝えるのは、聞き手に自らの思想を埋め込むためということになる。経済合理性という主張、すなわち話し手の最大のエゴが、考え方の枠組みに潜んでいるわけだ。

朝倉　そりゃ怖い。わかりやすくて筋が通っていれば、なかなかノーとは言えないじゃないか。隙のない論理と分析で攻められたら、屈服せざるを得ない。

岩下　そう。論理・分析の完成度が高いと、どんな質問や反論にあっても戦える。世の中には客観的真理、すなわち正解は1つしかないという立場で、あくまで主観を捨てて客観的に分析したんだからな。正しい理屈に対しては、どんな不快感があろうが違和感があろうが、屈服せざるを得ない。「正論」の強さだ。ここに立脚する限り、いくらでも自己主張を拡大することができる。

共感を得る

阿部　ここまでは、メッセージを押し出すための基本技術だ。メッセージに賛意を表

明してもらうためには、さらに聞き手の心理を読んで、耳に入りやすい工夫をして心に響かせ、行動につなげてもらう必要がある。頭で理解させるためだけではダメだ。朝倉の「コミュニケーション活動」に欠けていたのは、共感を得るための戦略さ。

岩下　阿部は現場の実務家だ。現場改革を通じて、経営成果を上げる必要がある。われわれ戦略コンサルタントのユーザーは経営トップや幹部層に限定されるが、阿部の場合は中間管理職や一般職層にまで賛意を取り付ける必要がある。どの層の従業員に変身してもらうことが一番大事で、一番大変か、そしてどういうメッセージ伝達をすれば彼らが動くか、という戦略計画をしっかり組まなくてはならない。

阿部　朝倉は、現場の改革リーダーだ。従業員という「顧客」に、メッセージという「商品」を大いに売り込みたいわけだ。そうすると、「従業員向けマーケティング戦略」を考えない限りうまくいかない。これは岩下から教わったマーケティング戦略の応用だ。

岩下　ようするに、①コミュニケーションはメッセージのマーケティングで、②コミュニケーションに使えるヒト、モノ、カネの資源は有限だから、優先順位を付ける戦略が必要。コミュニケーションは、すなわち戦略とみなすべし。

第四章　メッセージを売り込め

具体的な手順は、マーケティング戦略の立案と同じだ。顧客一人一人に応じた細かいプランを作ることは経済合理性が許さないから、まずは従業員を同質なコミュニケーションニーズの集団に分ける。マーケティングでいうセグメンテーション（区分け）だ。そしてセグメントごとにニーズを把握し、最適なデリバリー（伝達）の方法を工夫する。

さっそくだが、朝倉ならどういうセグメンテーションを考える？

朝倉　そうだな、改革におけるインパクトの大きさからすると、最重要セグメントが課長・次長・部長などの中間管理職。その次が、係長以下の若手社員。最後が、事務やオペレーションを担当する一般職社員かな。

岩下　改革への抵抗度を考えると、難易度はどうだ。

朝倉　響きが良いのが若手、次が一般職でここは無色だ。明らかな抵抗勢力が中間管理職だとすると、重要かつ解決の難易度が高い中間管理職が最大のターゲットか。

岩下　お次は、セグメントごとのニーズだ。

朝倉　難しい質問だな。変わりたくないというのがニーズかもしれないし――。

岩下　ヒントをやろう。各セグメントのステークホルダー（利害関係者）は誰だ？

朝倉 「ステークホルダー」？　なるほど、人間はいろんなペルソナ（仮面）をかぶっている。自分のエゴ（我）について考える前に、人間はいろんなペルソナ（仮面）をかぶっている。そのペルソナの対象が利害関係者になるわけだね。

岩下 そうだ。中間管理職の利害関係者は誰かね。

朝倉 ……上司。しかし、彼らの上司である役員はこの改革プランに賛同している。むしろ抵抗があるとすれば、自分の経験では顧客と部下だ。中間管理職は、販売責任者として顧客と日常的に接している。改革は、その関係に変化をもたらす。部下に関しても同様だ。抵抗するのは、この2つの利害関係者への面子を意識するせいか。

岩下 まさに面子の問題だね。改革で行き詰まるのは、いつも中間管理職だ。なぜなら彼らは「中間」の管理職だからだ。一般職社員は、あれしろこれしろのトップダウンで変化を促せる。こういう層は、改革の背景も目的も手法もどうでもいい。関心があるのは「自分の仕事が明日からどう変わるのか」だけだから、明日からこうしてくれというだけで動く。

しかし中間管理職には部下や顧客という利害関係者があり、その関係構築には自らの

128

第四章　メッセージを売り込め

プライドと自発性を発揮している。「本部の方針だからこうします」と言うだけのメッセンジャーの役割を演じることは、彼らにとって屈辱的だ。この層は、提言を構成する背景を十分に咀嚼して、次はこうなるということまで十分予見できるほど消化した上で、自分の言葉と自分に合った行動形態で部下や顧客にメッセージを伝達したいはずだ。

朝倉　他人事じゃない。中間管理職ともなれば、利害関係者の中心にいないと満足できない。そんなリスクのある、トップダウン方式一本槍は嫌がって当然だ。そうすると、この層のコミュニケーションニーズは、今回の変革のより上位の概念になるかもしれない。彼ら自身が、状況をしっかり理解した上で改革の必要性を発見できればいいわけだ。

上下から改革

岩下　半分正解だが、中間管理職に戦略の考え方や営業管理の研修をして、ボトムアップで改革をやろうと思っていないか？　それでは失敗するな。

朝倉　まさにそう考えていたんだが、どうしてだ？

岩下　改革にはトップダウン方式とボトムアップ方式があるが、一方に偏ってはダメ

だ。これは歴史が証明している。2つを組み合わせるところが味噌だ。

朝倉 ということは、まずはプレゼンでコミュニケーションする。その上で、親会社の考えるグループ戦略や長期戦略、財務上の問題点、格付け機関の当社グループへの見方、成功した改革の事例など、背景の教育を併行させる必要があるってことか。

岩下 正解だ。またコアの中間管理職に対しては、プレゼンだけでなく対話型の討議会やブレインストーミングも必要だ。ここで忘れないでほしいのは、コミュニケーションには戦略、すなわち資源配分のメリハリが必要だということ。優先順位を明快にし、コミュニケーションの相手方のニーズを念頭に置く必要がある、という大原則さ。

一般論でいうと、中間管理職のニーズは上位概念の理解。そして顧客、部下が利害関係者。専門職のニーズは変化する実務詳細の理解で、利害関係者は専門業務そのもの。一般職社員のニーズは、自分がどう手足を動かせばいいかというアクションプランの理解。目の前の仕事が利害関係者だからだ。そしてぶら下がり社員は、変化を望まないし抵抗もしない。自分だけが利害関係者のこのセグメントは、捨ててかかったほうがいい。人間の本性は我＝エゴへのこだわりだが、その外側に職図にするとわかりやすいよ。

第四章　メッセージを売り込め

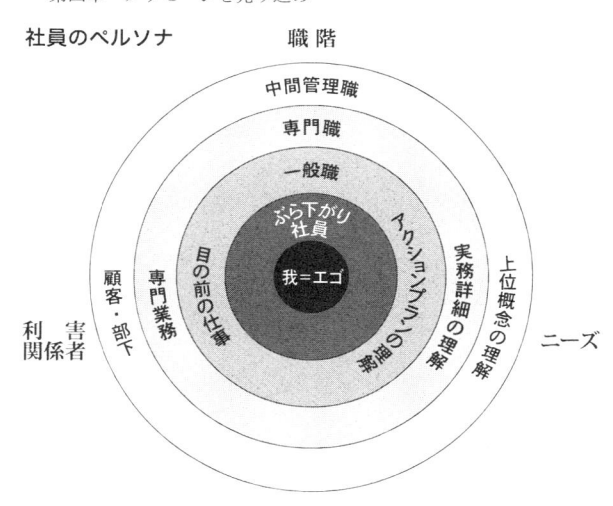

社員のペルソナ

職階／中間管理職／専門職／一般職／ぶら下がり社員／我＝エゴ／アクションプランの理解／実務詳細の理解／上位概念の理解／ニーズ／目の前の仕事／専門業務／顧客・部下／利害関係者

階に応じて何層ものペルソナ＝仮面をかぶっている。各々のペルソナにそれぞれのニーズと利害関係者がある。そういう幾層ものペルソナがエゴの周りを同心円状につつんでいるんだ。

朝倉　コミュニケーションの技術というと、演技指導じゃないが、もっと技術的な要素が大きいのかと思っていたが——。

岩下　そういう要素も重要だが、表面的な演出技術は「生兵法は大怪我のもと」でリスクが大きい。ターゲットセグメントのニーズに訴求した演出は効果が大きいが、ずれると惨めな結果になる。

朝倉　うーん、確かにそうだ。岩下が説明してくれたやり方は「戦略的」だし、非常に識的なマーケティングの考えも取り入れられている。理屈は面白いし単純だが、実務上の問題はないのか。頭ではわかるが、なんだかイメージがわかない。

阿部　それが岩下の限界だ。しかし実務の現場では、いろんなことに気を使ったり、関係各所への配慮が要る。糸が絡まるように、何がなんだかわからなくなることもある。そんなとき頭を整理してくれるのが、岩下たち戦略コンサルタントのシンプルなアドバイスなんだ。

岩下　そうだね。私に経営者としての実務の才能があるかというと、そんなことはない。ただ阿部のように、現実の世界で混乱したビジネスパーソンを救うことはできると思う。優秀な企業人が自分の考え方で経営に携わるなかで、つまずきそうになったらふと我々のアドバイスに耳を傾ける。そういうときに、一番使い出がある。

朝倉　戦略コンサルなんて、オピニオンリーダーよろしく経営のすべてについて大所高所から提言するというイメージを持っていたが、今の岩下の話を聞くと違うね。

阿部　主役はあくまで実務の世界にいる我々だ。行き詰まったときに意見を求めて、良いものは反省材料にする。僕もよくコンサルタントを依頼するが、彼らは「使うもの」であって決して「使われるもの」ではない。主役は自分なんだから、主体性を放棄してはいけない。それでこそ参謀としてのコンサルが生きてくる。

朝倉　カンフル剤のように、アドバイスを盛り込むってことだね。いいものだけを、自分流に利用する。――使う側の力量かな(笑)。

技法①数の原理

岩下　「脇役」からのアドバイスだが、演出技法でも2つほど覚えておくといい経験則がある。所詮はテクニック論だが、そのひとつが「数の原理」。

朝倉　よくビジネススキル本に書いてある、マジックナンバー7とか3とかの話か？　そういう安っぽいノウハウはどうも好きになれないね。

岩下　私も数字はよく使う。なかでも3が好きだ。「原因は3つあります」と先に言ってしまって、しゃべりながら考えるという離れ技を使うときもあるくらいだ。

朝倉　なんか眉唾だな。だいたいコンサルタントは「3つ」というらしいね。

阿部　僕もそういうビジネスノウハウは好きじゃない。しかし演出についていろいろ研究した結果、彼らの経験則と同じ結論に到達した。ただしこちらも「生兵法は大怪我のもと」であることが、同時にわかった。

岩下　阿部は本当に研究熱心だな。

阿部　実は僕も心理学に凝ったことがあってね。ユングの元型（アーキタイプ）という言葉はご存知かね。

朝倉　ああ。人類の遺伝子の中に共通に織り込まれているという、潜在意識での認識パターンのことではなかったかな。

阿部　そのとおり。わが国でも河合隼雄さんの活躍で有名だね。ユングの学説に、人間の深層心理を分析する枠組みがある。人間心理の一番表面にあるのが「意識」だ。その意識の中心にある司令塔が「エゴ」。でも意識の下の階層には、個人的な「無意識」がある。岩下の合理主義精神の強いエゴで抑圧されていた反合理主義的考え方が、岩下個人の無意識に潜んでいるというわけだ。

134

第四章　メッセージを売り込め

ユングはさらにその下の階層に「集合的無意識」があるんじゃないかという説を唱えた。その構成要素のひとつが動物的な本能であり、我々の行動面に直接的に影響を与える。さらにそれ以外の要素として、人間の知覚パターンを左右する「元型」があると説いたんだ。

ようするに、どんな時代のどんな地域の人間も同じように反応する知覚パターンがあるという。ユングは世界各地の神話を研究して、共通のストーリーや登場人物の類型を発見した。僕も趣味の寺巡りや絵画鑑賞なんかを通じて学んだんだが、宗教的な象徴物というのは、全世界に似たようなものがある。例えば曼荼羅の円形イメージが、キリスト教やイスラム教でも同じように使われていたりする。人間はそういうものに対して、一定の認知パターンを示すんじゃないかと思っていたとき、ユングの学説に出会ったんだ。

阿部　この集合的無意識の見方からすると、3は神を象徴する数字のようだ。「三位一体」とか「釈迦三尊像」「東方三博士」、神すなわち世界の創造主に関連して使われ

朝倉　阿部はまったく多趣味というか、いろいろ勉強してるんだな。

135

る象徴だ。神の世界＝宇宙全部を、3つで語ることが許されるかもしれない。

岩下 コンサルタントが3で語る理由は、3つなら覚えやすくてコミュニケーションが容易だという供給者側の事情もあるが、需要者が受け取りやすいという面もある。「わが社全部を3つで語るなんていい加減だ」というような拒否反応を受けるケースが少ないんだ。

阿部 4にも意味がありそうだ。4は人間を表すという解釈がある。四肢って言い方が代表だね。また4つの元素が万物の構成要素であるという見解は、デモクリトス以前のギリシャ哲学やインド哲学にも見られる。そして神＝宇宙が3で、人間が4だとすると、足して7は大宇宙と小宇宙である人間の両方を表すということもできる。

岩下 なんだか難しくなってきたが、ようするに3・4・7という数字で語ることに、人間は遺伝的に違和感を持たないのかもしれないという解釈だね。

阿部 だから、3つや4つ、7つで全体を語ろうとする試みが受け入れられやすい。すごく大きな全社レベルを語るときは3つ。事業部レベルを語るときは4つ。そして上から下までのレベル感で会社全体を語るときは7つ、という使い分けをしている。

第四章　メッセージを売り込め

朝倉　聞き手に聞きやすいプレゼンをするためにか。しかし、阿部もすごい。コンサル岩下もビックリだな。

技法②図形

阿部　もうひとつが形。バブルチャートという、コンサルタント常用のグラフを知っているか？

朝倉　ああ、四角形のなかに円がいっぱい書いてある図だね。

阿部　実は美術館で、ほとんど同じようなイメージの絵に出会った。抽象絵画の先駆者カンディンスキーの作品だ。でも、もっとびっくりしたのは胎蔵界曼荼羅を見たときだ。同じように四角形で世界が定義してあって、そのなかの構造が円形の仏で表されている。四角の中に円というイメージは、それだけで閉じた空間に世界の構成要素が並んでいるという風に解釈されるのではないかと思ったわけだ。

朝倉　図で描くというのは最近ブームになっているが、俺はあまり好きじゃない。絵心がないというか、表そうと思うイメージと描いた絵がどうも釣りあわないんだ。若い

社員がノウハウ本で学んで図を描いた企画書を持ってくるけれど、センスのない人間が使うと逆効果のような気がする。

阿部 その感性は正しい。自信がないときは使わないほうがいい。業務のプロセスやシステム構成、組織図なんかは図にしてもいいが、コンセプトを円や三角、四角で描くときは細心の注意が必要だね。聞き手に受け取りやすくするつもりが、かえって受け取りにくくなってしまう。

岩下 阿部に言われてから、私も図はあまり描かないようにしている。絵心がまったくないこともあるがね。

阿部 僕の解釈では、円はポジティブな完成した姿や神聖な姿の象徴で、人間にとって最も重要な形。だから結論を書くときに、円を使うことが多い。四角は人為的な構造物のイメージで、その内側に意味がある。いわば外との境界線を意識するときに使う。三角は教会かな。天上には神の世界がありポジティブなイメージ、だけど下界は人間の苦悩の世界があるといったネガティブなイメージ。それこそバブルチャートの外側だ。下に問題点を書いて、上に理想の姿を表すときに使うね。

第四章　メッセージを売り込め

朝倉　まさに感性の世界だ。マニュアルに落とすのは難しいんじゃないか？

阿部　感性の悪い人が図表を多用すると、コミュニケーションが大変まずい状態になる。他人のプレゼンだったが、聞き手が絵の形を見た瞬間、その提言に対して不快感をあらわにしたのを目撃したことがあるよ。どう見ても、中身の文字や説明を理解する前の瞬間的な反応だった。ただし勉強してみると面白いから、興味があればこういう分野を探索するといい。『色と形の深層心理』（岩井寛）は参考書として面白いね。

朝倉　コミュニケーションにそこまで努力するのか。その姿勢は勉強になるな。

阿部　現場を動かすための技術だから大事さ。

5つのC

岩下　ここで今日の講義は終わりだ。念のために5Cで整理しておこう。「分析技術」で話した3Cに「クリスタライズ」と「コミュニケート」を追加するんだ。

阿部　岩下の門下生第一号として、復習のために僕がやってみるよ。最初がコレクト（Collect）。すなわち必要最低限の事実や数字を集めて、仮説構築の材料にする。そし

て、自分の頭に課題と解決策のイメージを想像して、尻から考えて現時点での自分なりの結論を導く。それが仮説を創出するクリエイト（Create）の過程だね。その仮説はあくまで限られた情報と想像力で作られたものだから、検証されなければならない。コンファーム（Confirm）の段階だ。

そしてついに、伝えたいこと（メッセージ）の台本書きに入る。粗筋書き（ストーリーラインの作成）やメッセージ、スライドの内容を検討し、聞き手に聞きやすく簡単・簡潔な内容にする体系化の工夫を凝らす。これがクリスタライズ（Crystallize）の工程で、最後のコミュニケート（Communicate）に至る。聞き手のセグメンテーションを行ない、そのニーズに応える形で、伝達の仕方やフォーカスに工夫を凝らすということだ。そのためにも最優先ターゲットへの資源配分の絞り込みを考える必要がある。コミュニケーション戦略が必要になる所以だね。

朝倉　不思議だね。同じ内容でも、阿部が言うと妙に説得力を増す。

岩下　さあ、ここで3回にわたる新橋ビジネススクールの講義は終了だ。1回約3時間、合計10時間ってところか。どうだい、朝倉。少しは自信が出てきたか。

第四章　メッセージを売り込め

朝倉　岩下、いろいろ言ってすまなかった。阿部のおかげもあって、ここで教えてもらったことが、自分を変えるためのカンフル剤だってことも理解できた。その自信いっぱいのしゃべりっぷりのせいで、最初はコンサル流の技法が「戦略」のすべてなのかと感じてしまったが、違うんだな。主体は自分の生き様であり、経験であり、信条であり、今まで培ってきたスキルだ。

阿部　そうそう。僕らの世代には、必死で身に着けたスキルがある。でもちょっとしたコツを知らないばかりに、それらをうまく使いこなせていない。岩下がアドバイスしたのは、君の潜在能力を引き出すための技法だ。20代や30代の若手が、金科玉条のように「戦略スキル」「コンサルスキル」を無批判に受け入れるのとは違う。みんながみんな戦略コンサルタントになる必要はないし、そのエッセンスを自分のスタイル作りの刺激にすればいいだけさ。実務上の切った張ったの経験量が多いだけ、僕らのほうが使えるスキルを構築できるんじゃないかな。先生の岩下には悪いけど。

岩下　我々だって、マニュアルどおりのスキルだけで仕事しているわけではない。基本を身に着けてから、どんどん自分流のスタイルを作り上げていく。型から入り、型を

壊していかないと、生き残れない。最低10年はかかるというのが自分の経験だ。朝倉も今までの仕事で自分なりの「型」を確立しているはずだ。それを壊して、新しい朝倉流のスタイルを創ること。それが不惑すぎの年代が「自分を変える」ということの本質だ。今回の講義が、破壊のためのパワーになってくれればありがたい。消化不良でかまわないし、そのまま全部教科書どおりに実践する必要もない。ヒントや刺激剤にしてもらえれば十分だ。

朝倉 安心したよ。全部を習得するには10年かかるんだろ（笑）。

第四章　メッセージを売り込め

第3回講義まとめ

● メッセージを押し出す＝結晶化
―台本の粗筋作り：科学的合理主義にのっとって簡潔に。
―台本の書き方：ワン・スライド・ワン・メッセージ。
―台本に忠実なメッセージ伝達：聞き手に聞きやすく、理解を誘う努力を。

● メッセージを売り込む
―コミュニケーション＝マーケティング。
―利害関係者（ステークホルダー）とニーズを分析。

● 演出技術
―潜在意識に訴える数と形：3、4、7、円、四角、三角。

● 5Ｃの方法論
―Collect, Create, Confirm, Crystallize, Communicate

第五章　自分を変える戦略

半年で変わる?

最終講義のあと、阿部は何度か朝倉を飲み屋に誘った。新橋ビジネススクールは、古い友人関係の活性化にも役立ったようだ。以前はせいぜい年1回くらいしか会わなかった2人が、以来月1のペースで会うようになった。

朝倉　岩下は元気か? あれ以降、誘っても全然出てこない。コンサルタントを揶揄しすぎてしまったかな。あれだけしてくれたのに申し訳ない。

阿部　あいつは気にするようなタマじゃない。ただ、いつも海外出張だ何だと、とんでもなく忙しくて僕もめったに会えない。3回も新橋ビジネススクールに顔を出したのは奇跡に近いよ。それだけ朝倉を大切に思ってるんだろう。生意気でドライに見えるが、

第五章　自分を変える戦略

本当はいい奴だからな。あれだって、わざとこちらをカッとさせるように振舞っていただけだ。相手を本気にさせて、本音を引き出そうという作戦らしい。

朝倉　そうか、安心したよ。しかし最終講義からもう半年もたつが、まだまだ教わったことが身についたという実感がない。最終講義の帰り道、阿部は「半年で変われる」って言ったじゃないか。俺の出来がいまいちなのかな。

阿部　「半年で、自分が変わったという兆候が見える。1年で、本当に変わったかもしれないと思うようになる。そして2年経つと、人からも変わったと言われるようになる。一番辛いのは最初の半年までだ。なかなか成果の手ごたえを感じられない」って言ったよな。君は正常だと思うよ。僕も君と同様、岩下に同じようなことを教えてもらったが、半年たってようやく5Cを使う習慣がほんの少しついたって程度だ。今の時期は「アヒルの水かき」だよ。必死で足を動かしているが、水面下だから誰にも見えない。加速度がついていないから、自分でも前に進んでいるようには思えない。

朝倉　アヒルの水かき、ね。

阿部　あの岩下にだって、そんな時期があったんだ。あまり器用じゃないから、転職

当時は凄く苦労したらしい。転職してから3年間つけていたという日記を見せてもらったことがある。くたびれてページが真っ黒になったシステム手帳で、先輩からのアドバイスや、自分の仕事での実践内容と反省文が細かい字でびっしりと書きこまれていた。

もっと地味な努力もしたらしい。岩下は文章を書くのが下手で、簡潔でインパクトのある文章が書けなかったそうだ。それで、好きな文体の本を選んで、ひたすら写経よろしく写したらしいよ。「世間で売れっ子といわれたコンサルタントの本で気に入ったものを数回読んで、最後は隅から隅まで書き写した。とくに気に入ったフレーズはその後も何回も書き写した。半年くらいで、ちょっとずつ自分の文体が変わるのがわかった。1年でがらりと変わった」って言っていたかな。

朝倉 へえ、あのエリート然とした岩下がね。そんな地味な努力を続けていたのか。

朝倉は、心の中で阿部に、そして岩下に感謝した。ここまで本気で、自分の恥ずかしい修行の過程まで話してくれる友情に感謝した。その友情に応えるためにも朝倉は、5Cの原則を机に張り、毎日の一つ一つの仕事に適用していった。ちょっとした社内通達

146

第五章　自分を変える戦略

朝倉　人から見て変わったといわれるにはまだ早いな。

可南子は何を言われたかわからず、キョトンとした顔をしていた。

転職⁉

さらに2カ月が経った頃、阿部からの呼び出しがあった。今回はおごりだという。赤坂見附の「カナユニ」に連れて行かれた。店名の由来は〝かなりユニーク〟の略だ。三島由紀夫も足しげく通った洋食屋で、タルタルステーキ、オニオングラタンスープが朝倉の大好物だった。しゃれた古い店内で2人はワインを傾けた。

阿部　調子はどうだい。そろそろ46歳の誕生日だよね。あれから1年だ。

朝倉　ありがとう。5Cも英語もじっくりじっくり続けているよ。自分のスタイルっ

てのは難しいもんだ。この間も——。

阿部がいきなり朝倉の話をさえぎった。滅多にそういうことはしない阿部である。朝倉は、押し黙った。

阿部　突然ですまないが、助けてくれないか。僕のプロジェクトを手伝ってほしい。

朝倉　プロジェクト？

阿部　数カ月前にわが社のある事業部が、エレクトロニクス関係の企業に投資した。年商はたいして大きくないが、消費者向け商品を作っていてブランドネームもある会社だ。しかしここ何年も、消費者ニーズから離れた経営をしてきて調子が悪い。出資に加えて、経営者も派遣した。第一段階のリストラと非本業事業の売却は終了して、これから本格的な本業の建て直しに入る。新社長の下でプロジェクトを手伝ってくれる人間を探しているんだ。COOほどのポジションではない。経営企画部長の補佐役だから、年収は今より下がるかもしれない。しかし上場を狙っているから、ストック・オプションは差し上げる。

第五章　自分を変える戦略

すぐにでも決めてもらいたい。君にとっては、「自分を変える工程」の総仕上げになると思うし、長い人生で考えたら決して悪い話じゃない。どうだ、考えてくれないか？ 君のように業界を理解し、しかも業界の常識を否定できるような実務家を探しているんだ。

朝倉　……いや、青天の霹靂だ。どう答えたらいいかより、何を考えたらいいかわからないよ。たしかにこのまま東部電機にいても役員の芽はない。早めに子会社に出向して新境地を開いてやろうか、くらいの気持ちは持ち始めていたが——。いきなり転職とはね。

阿部　何が問題だ。君にはその力がある。わが国の40代サラリーマンは、鍛え方次第で強くなる。舞台を変えれば成功する人も多い。いま君は、自分が変わり始めたという手ごたえを感じているはずだ。大企業に比べたら吹けば飛ぶような規模かもしれないが、君の実力をもっと伸ばせる仕事だよ。充実した気持ちで仕事に取り組めるだろう。何をためらうことがあるんだ。1週間考えてくれ。

阿部は珍しく熱く語った。

朝倉は結局、なにも答えられなかった。あまりに突然で、思考がストップしたというほうが正しいだろう。

寝床でゆっくり考えた。転職——、46歳の挑戦か。正直なところ、ちょっと嬉しかった。自分に声をかける会社がある。まだまだ人生捨てたものではないと思った。スキル面では磨きをかけなければならない。プロ経営者に向けて人生コースを変更できるかもしれない。朝倉は浮き足立っていた。

恐妻不況

翌土曜日、目覚めると昨夜の興奮はおさまっていた。ブランチを食べながら妻と子供の顔を眺めていると、不思議に気持ちが冷めていく。

以前、岩下が言っていた。日本のデフレの原因は、大企業の社員の流動性が低すぎて、「ゾンビ企業」から新興企業に優秀な人材が動かないことだ。背景には、奥さんが恐ろしくて転職を切り出せないということがある。したがって「恐妻不況」だと。ビジネス

第五章　自分を変える戦略

　社会と隔絶した世界に生きている専業主婦には、我々とは違う情報と論理がある。彼女たちの保守性が、大企業神話をいまだに確固たるものにしている影響が、こんなところにも出ているのかな。企業の情報開示が遅れに遅れた影響が、こんなところにも出ているのかな。
　朝倉は、ベッドに寝ころがって考え始めた。少しは「自分で考える」習慣がついてきたようだ。岩下流に5Cを当てはめてみる。
　住宅ローンの借り換えや、今あるネットの資産、生前贈与も含めた資金援助の可能性、退職金についてはデータをコレクトする必要がある。でも、家計のリストラに努めればなんとかなるという仮説はクリエイトできそうだ。資金繰りは大丈夫かもしれない。問題は家族だが、大反対するだろう。やっぱり恐妻不況か？　しかし、俺は何のために働いているんだろう。そこを定義しなくては。行き詰まったら利害関係者（ステークホルダー）分析だって、岩下が良く口にしていた。俺自身の利害関係者分析でもするか。
　朝倉は、大昔に読んだ本を取り出した。
　企業の利害関係者は「株主」「顧客」「従業員」、そして「社会」。株主一本槍で、儲かりさえすれば他の利害関係者は不幸でもいいというのは、よくない経営だったな。株

主が投資に対して期待する最低限の利回り分を稼いで、残りのキャッシュをバランスよく他の利害関係者に分配するのが定石だ。

自分の場合を考えると、株主にあたるのは自分に株式＝エクイティ投資をしてくれている人――。教育投資をしてくれた両親であり、現物出資で俺の生活を支えてくれる「家族」か。俺がたくさん稼げば彼らはリターンを多く享受できるし、俺が破綻したら運命共同体で株主責任を取らなくてはならない。いざとなれば離婚してしまえば有限責任だし、家庭も株式会社そっくりかもな。

俺はサラリーマンだから従業員はいないが、働いている人の幸福という意味では、自分のやりがいも同じように利害関係者と思っていいか。ちょっとこじつけだが、自分が働いてサービスを提供する相手と考えると、勤める「会社」。自分は社会の一員だから、当然「社会」も利害関係者だ。「家族」「自分」「会社」「社会」という利害関係者に、バランス良く貢献するのが俺の責務ってことか。綺麗に整理できそうだな。

仕事へのやりがいと成長する喜びを重視しすぎると、「自分」という利害関係者にばかり入れ込んでしまう。株主である家族へのリターンが減るから、株主＝家族は怒るだ

152

第五章　自分を変える戦略

ろう。従業員に厚く株主に薄い、昔の日本企業のようだ。でも持ち合いで株主との関係が安定しているから株主は怒らない。長期での成長が織り込まれているからだ。

家族も一緒か。仕事一本槍で家族に時間を使うわけでもなく、その割に給料が抜群に高いわけでもないと、株主が反乱を起こして株を売られる。つまりは離婚だ。わが国ではこれまで安定的な家族関係が重視されていたから、アメリカみたいな目には遭わずにすんだ。低いリターンでも売られない＝離婚されなかった。しかしそれも、会社は成長し、自分たちには安定した豊かな老後が待っている、という共同幻想があったからこそだ。

現実には、わが社の将来はそんなに明るくはないだろう。だから短期的には給料が下がる今回の転職話は、家族はまだわかっていないだろう。世の中の給料相場はどんどん下がっているし、将来を考えれば転職したほうが有利かもしれないが——。

そうか、中長期での可能性が株主に説得できれば、短期的リターンが低くても株主は納得してくれる。それから、阿部に聞いた投資信託の話だ。投資家は絶対値の利回りで

はなく、期待利回りに反応する。事前に、世界情勢の影響で利回りが下がるということをしっかり知らせておけば、下がっても怒らない。ある日突然、期待値を大いに下回る結果を見て激怒するんだと。私の株主＝家族も一緒だ。所得の期待値をコントロールしなければいけない。

家族を説得するために必要な行動は3つ。あ、岩下のコンサル口調がうつったかな。①世の中の給与の水準、トレンドを分析して家族に説明して、期待値を下げる。②短期だけでなく、中長期の俺の市場価値も勘案したモデルを作り説明する。③アップサイドの可能性を定量化して説明する。なんだか、企業のIR活動みたいだ。

家族＝IR活動

朝倉はしばらく考え続けた。

IR活動が必要なのは、企業情報の開示を通じた透明性の確保が必要だというのと同じ論理か。岩下が口癖のように言っていた。企業活動の情報が投資家に逐一詳細に伝わっていれば、正しい株価が決まり、株価が企業価値のすべてを表す。現実には、すべて

第五章　自分を変える戦略

の企業活動のモニタリングは不可能であり、情報は不完全にしか共有されない。したがって適切な情報開示をしないと、正しい企業価値を反映した株価が決まらないと。

家族問題も一緒だ。俺の会社での働き具合やスキル、会社の将来などの情報を、家族が俺と同じくらい持っていれば、転職したほうがいいと判断するだろう。そういう情報が共有されていないから、今の価値である現在の給料の水準にだけ反応するんだな。

普段から家族に時間を使って、仕事や会社についていろんな情報をやり取りしていれば、説得は簡単だろう。自然体で情報開示するのが理想だ。しかし俺は、会社のことはいっさい家では話さないことにしてきた。「家族IRの充実」をやらないとな。まあ、これが突破口になるかもしれない。

朝倉は若干、嬉しい気分になってきた。そして家族向けIR資料の粗筋を考え始めた。

まずはシナリオ分析だ。

どういうダウンサイド（下方）リスクが――。そうか！　俺が転職に及び腰なのは家族が抵抗するからじゃない。それは自分への言い訳にすぎない。ダウンサイドリスクへの対抗策や打つ手ができていないからだ。転職して新しい人間関係に馴染めるのか、自

分の実力でしっかりと仕事をこなせるのか。そういった心配があるんだ。

まだ抵抗はあるが、岩下先生流に整理しよう。①仕事と時間の資源配分。仕事の品質については何とかなるような気がするが、自立を要求される甘えのない環境での仕事は不慣れだ。時間と品質のプレッシャーの中で十分に戦えるか自信がない。②人間関係。全然違う釜の飯を食ってきた新しい仲間とうまくやれるかも不安だ。今までは東部電機という大きな組織の中で、ひとつ失敗しても周囲に甘えることができた。自分の仕事の管理が若干甘くても、リスクは感じなかった。転職してバリバリ仕事をこなすだけの、時間配分や効率的な仕事の習慣を身に着けているとは言いがたい。

仕事上の人間関係だって、この20年以上にわたって培ってきた資産がベースになっている。少し無軌道な接し方をしても関係は切れたりしない。でも新しい職場できちんと新しい関係が構築できるかすごく心配だ。ようするに、長期雇用で甘やかされてきたと言われるかもしれないが、最小限のリスクで仕事をする習慣がついている。いまさらリスクの大きい仕事に馴染めるだろうか。これが本質的な問題だ。

朝倉は、慌ててEメールを打ち始めた。もちろん宛先は、阿部と岩下だ。

第五章　自分を変える戦略

本当に久しぶりに3人は揃って顔をあわせた。場所は前回と同じカナユニだ。

岩下　メールを読ませてもらったよ。いやあ、長いメールでびっくりしたが、自分の利害関係者分析、家族＝株主論、家族IRは面白かった。朝倉らしからぬ鋭い分析だった。おっと、すまん。しかしコンサルタントなんて時間ばっかりかかる仕事で、おまけに守秘義務契約があるから内容は家族にも説明できない。結局、リターンすなわち給料がそこそこ高いという部分でしか、株主様である家族を納得させられない。我が家は離婚寸前だ（笑）。

阿部　僕は、リストラされる社員を第二の人生に気持ちよく送り出すための「アウトプレースメント」プログラムに関わったことがある。アメリカでは中間管理職のみならず、役員対象のアウトプレースメント業務もあるらしい。ちゃんと秘書と個室を与えて、次の仕事を探してもらう。この業界の定評あるコンサルタントから教わったことに照らしても、朝倉の考えは正しいと言えるよ。

一番大事なのは、自分と家族の生涯の過ごし方に対する期待感の修正だそうだ。給料

レースメント業務の中心はカウンセリングだそうだ。

が落ちても別に食っていけないわけではない場合でも、人生の楽しみや生活パターンは大きく修正しなければいけない。奥さんに世の中を教えるのも大事だ。実際、アウトプ

朝倉　そこで本題なんだが、俺はやっていけるのか。

阿部　大丈夫だよ。君ほどの潜在能力があれば。

岩下　おい阿部、朝倉が悩んでいるのは実力や潜在能力の話じゃない。力を発揮するだけの技術があるかどうかだ。我々も転職当初はずいぶんと苦労したじゃないか。

阿部　ごめんごめん。ついつい客観的な立場を忘れてしまってね。じゃあ今日は「新橋ビジネススクール」の補講くらいの気持ちで、「自立できる仕事術」について話そうか。

時間資源の最適配分術

朝倉　おふたりのおかげで、ようやく5Cの枠組みでの作業にも慣れてきた。アウトプット品質も若干向上したと思う。ただし、あくまでも畳の上の水練という印象だ。本

第五章　自分を変える戦略

当に海に出たら大変だろう。とくに転職して、それがターンアラウンド（事業再生）なら仕事量は膨大だろうし、臨機応変に走り回らなければいけない。大企業のエリートが中小企業に出向したら全然使えなかった、という話は良く聞くじゃないか。俺は大丈夫だろうか。

阿部　たしかにそういうリスクはある。もっとも君ならすぐに克服できると睨んで声をかけたが、最初は戸惑うと思う。今よりずっとやわらかい組織・分掌のなかで、自分でやるべき仕事・人に振る仕事・やらない仕事を判断し、こなさないといけないからね。

岩下　阿部は性格的にもきっちりした仕事人だからいいが、私はどちらかというと閃き型というか、きちっと仕事ができない人間の典型だった。なんでも貪欲に首を突っ込んで食い散らして、時間がなくなると徹夜して土日も使うタイプだったからね。

朝倉　「だった」ってことは──。

岩下　無茶をして燃え尽きたり、体を壊してコンサルティング業界を去っていった若者は多い。私も35歳まではバリバリ仕事ができたが、それ以降は体力も知力も追いつかなくて、阿部流のきっちり仕事をする手法を導入しないとうまくいかなくなった。

阿部　この分野については、逆に僕が岩下に指導したんだ。それを岩下が戦略論にまとめ上げた。

岩下　戦略論？

朝倉　そうだ。有限な時間をうまく振り分けることで、最高のアウトプット品質を得ようということだからね。資源配分論という、戦略論の王道だ。ステップは3つ。すなわち、①己の持ち時間の正確な把握、②資源を投入すべき仕事の選択と集中、③行動面で成功のツボを外さないこと、だ。

朝倉　持ち時間というのは、あまり意識していなかった。漠然と、忙しいとか暇とかいうような感じでしか摑んでいない。基本的に仕事は上司から振ってくるものだからと、自ら選択と集中の意思決定もしてこなかった。時間管理のコツについて成功法則を知っているとは言えないね。典型的な大企業サラリーマンの仕事スタイルかもしれないが。

岩下　持ち時間の把握で大事なのは、絶対量ではない。むしろ、質の高い時間をどれだけ持てるかということと、時間軸だ。すなわち1スロットの時間ではなくて、2週間くらいの時間軸の中で、どこに時間が取れるかを把握していることが重要なんだ。

第五章　自分を変える戦略

機械的に、ここの時間が空いているからここで仕事をしよう、という発想はダメ。いざその時間になっても、気が乗らなかったり必要な事前作業が済んでいなかったりして、ダラダラするだけになる可能性がある。物理的に時間はあるが、アウトプット活動のために使えない時間が「空の時間」。これを最小限にするためには、自分の仕事の癖をつかまなくてはならない。まずは、①頭脳明晰な時間を確保するための場所・睡眠・休息、②集中力を維持できる長さ、③材料の仕込みから思考の発酵までの期間、の3つについて自分を知ることだ。

朝倉　時間の「質」がポイントなんだな。

岩下　5Cの作業を例に取れば、それぞれの段階によって、求められる時間品質のレベルが全然違うことに気がつくだろう。

コレクトはそれほど質の高い時間でなくていい。しかしクリエイトには、頭脳が明晰に働く「黄金の時間」を確保する必要がある。心身のコンディションや場所にも左右される。休みすぎはダメだが、疲れすぎもダメ。エンジンはかかっているが、余裕がある時でなくてはならない。また自分がもっとも思考に集中できて、邪魔の入りにくい状況

を用意したい。車の中、早朝の公園、あるいは昼休みの会議室――。なんでもいい。精緻な批判的思考が要請されるコンファームにも、「純銀の時間」ぐらいが必要だ。クリスタライズは物を書く作業。骨格となる思考作業は済んでいるから、邪魔さえ入らなければある程度疲れていてもできる。「青銅の時間」くらいかな。コミュニケーションを考えるには、喧騒の中のほうが現場感があっていいこともある。

同じ「時間」でも、黄金、純銀、青銅の時間にランキングして捉えておかないと、効率的な作業ができない。また、集中力の持続時間は日によって異なる。自分の限界を知っておくべきだ。私の場合は、長く集中できて3時間だが、原則2時間以内。1日2回までは集中できるから、金銀レベルなら最大2枠だ。予定の時間内でも、疲れたら無理をせず、ほかの作業をして頭を冷やす。

最後は仕事の時間軸。なかでも創造的思考を要する作業は、閃きのタイミングをどう作るかが鍵になる。うんうん唸っていても埒が明かないことが多い。私の場合は「青銅の時間」あたりで考え始めることにして、2～3日後に「黄金の時間」を取っておく。頭の中で材料を熟成させる時間を、数日間の幅でスケジューリングするのが味噌だね。

162

第五章　自分を変える戦略

朝倉　なるほど、質まで考慮に入れてスケジュール管理をするのか。うまくやれば効率が上がりそうだ。

仕事量の調整

岩下　それでも、調子に乗って仕事を抱えすぎたら破綻する。できると引き受けておいてできないより、できないと言ってできることだけやるほうがいい。前もってできないと言われていれば、管理職は他の人に仕事を振ることができる。まあ、人件費に見合った分はやってもらわないと困るが。

朝倉　ようするに、無茶してリスクを取って何でも引き受けてしまったら、全体の計画がおじゃんになる。自分がいい顔をしようだとかプライドを守るとかでなく、危ない線では選択と集中が必要ってことだ。当然といえば当然のことだな。

岩下　伝統的戦略分析ツールであるBCG（ボストン・コンサルティング・グループ）のPPM（プロダクト・ポートフォリオ・マネジメント）手法を用いて、選択と集中を手堅く見切るのがポイントだ。

朝倉 PPMというと田の字を描いて、横軸に競合優位性、縦軸に市場の魅力度を取るんだったね。

岩下 そうだ。私の場合は「仕事ポートフォリオ・マネジメント」と名付けて、仕事を簡単に4つに分類し、どの仕事で「刈り取り」——すなわち得点を稼ぎ、どの仕事で苦手克服や挑戦的テーマへの投資を行なうかを決める枠組みにしている。

① は「捨てる仕事」、PPMでいうところの負け犬だ。期待成果もたいしたことがなく、苦手な仕事だ。これは、周囲に大きな迷惑がかからない限りは引き受けない。②は期待成果が低くても得意な「ヘッジ仕事」。キャッシュカウ（金のなる木）だ。ある程度は優先度を高くするが、こんな仕事ばかりでは評価されないので、あくまで補助的な位置づけだ。③が「刈り取り仕事」、スターだな。期待成果が高く、得意な仕事だ。これをこなしておけば、ほかで失敗してもクビにはならない。自分の存在価値を最低限保証するために、しっかり確保して優先的に取り組む。

③を中心に②をプラスして、ある程度、成果を出せる仕事を優先的に行なう。でも堅い仕事ばかりじゃ面白くないから、割合をコントロールしつつ、④「投資する仕事」、

第五章　自分を変える戦略

仕事ポートフォリオ・マネジメント

	仕事力 高 ← → 低	
期待成果 大	③刈り取り仕事（スター）	④投資する仕事（問題児）
期待成果 小	②ヘッジ仕事（キャッシュカウ）	①捨てる仕事（負け犬）

参考：島田隆『最強の経営学』

すなわち問題児に手を出す。期待成果が高いが苦手か困難であり、現在の飯の種ではないが次の飯の種になる仕事だ。これをゼロにして②、③だけで生きていれば将来はない。④ばかりでも、成果が安定しないでコケる。バランスが大事だ。捨てる仕事を選ぶ代わりに、引き受ける仕事は絶対にやりきる姿勢で自らを追い詰める。緊張感を煽るわけだ。

朝倉　仕事内容の選択と集中にも、自分の頭を使えってことだな。

岩下　こうして時間と仕事を5Cの工程に分けて配分する。忙しい業界で最初にマスターすべきは、時間と仕事の管理だ。これができるようになると、ストレスを比較的抑えながら安定的なパフォーマンスをあげられる。

最後に、むかし阿部から教わって、その後すこし手直しした「時間管理十訓」を紹介しておこう。

第一訓　スケジュール帳は計画書。1日に数回は眺める。
第二訓　常に2週間先まで視野に入れておく。
第三訓　作業工程の読みは想像力。活動をイメージする。
第四訓　自分ひとりの時間でも来客・会議と同様にアポをとる。
第五訓　完全に邪魔が入らないでひとりになれる場所を探す。電車、車、便所でも可。
第六訓　原則8〜19時にしか仕事をしない。土日のどちらか片方は完全休養する。
第七訓　考える前に材料を頭に放り込んでおく。寝る前が有効。
第八訓　できれば昼食などのために外出しない。その分早く帰るほうが得。
第九訓　細切れの時間は黄金の時間。仕事は15分単位で切り刻める。
第十訓　集中と弛緩のバランスを重視。締めっぱなしも緩みっぱなしもダメ。

阿部　これは岩下流だ。僕のは微妙に違う。朝倉も自分の仕事習慣に合わせてルールを作ってみてくれ。

第五章　自分を変える戦略

人間関係構築術

朝倉　仕事管理＝時間管理に相当な力を入れていることはわかった。ここでも戦略が鍵だな。捨てることと優先順位を明確に意識すること。これができれば生きていけそうだ。しかし、自分の仕事は自分が努力すればできる気がするが、問題は「人間関係」だ。相手のいる世界だからね。たまたま運悪く嫌な上司にあたっても、今の会社なら2〜3年我慢すればどちらかが異動する。転職したらそういうわけにはいかないかもしれない。上司と合わなくて実績を上げられなかったら悲劇だよ。

阿部　それは雇う側も同じさ。せっかく雇ったのにカルチャー、つまり社風と合わないケースもある。採用面接で仕事能力に及第点をつけたら、後はひたすらカルチャーのマッチングを気にする。慎重に面接しても、完璧というわけにはいかないが。

朝倉　でも岩下は、コンサルタントとしていろんな会社に行くわけだろう。阿部だって、いろいろな会社に投資したりする。相性がまったく合わなければ雇われも投資もしないだろうが、仕事が始まってみて「しまった」と思うこともあるはずだ。

167

岩下　私はけっこう個性が強くてわがままなタイプだから、クライアントとの人間関係の構築に苦労するケースも多かったよ。

朝倉　過去形を使うってことは、ここも戦略で乗り切ったってことか。

岩下　そうだな。転職した当初は、私のエゴというか押し出しが強すぎて、いたるところで喧嘩していた。「ファイティング・コンサルタント」なんていう、ありがたくない渾名まで頂戴したくらいだ。それで、阿部先生の指導の下で修練を重ねた。

阿部　岩下が外向性が強すぎるとすれば、僕はどちらかというと内向的だ。人付き合いは苦手なほうだったから苦労したよ。最初の失敗は、気を使いすぎたことだ。

朝倉　気を使うのが悪いことなのか？

阿部　そりゃ社会人としての礼儀も忘れて目上の人にあつかましく接したり、むかしの岩下のように、クライアントの欠点を見つけたら鬼の首を取ったようにバカだアホだと攻撃しまくるのは論外だ。でもお追従中心で相手の顔色ばかりうかがって好転させようとすれば、人間関係はかえって悪くなるもんさ。

岩下　私も攻撃のしすぎでクライアントとの関係が崩れそうになったとき、お追従路

168

第五章　自分を変える戦略

線に転換したんだが、大失敗だった。パートナーというポジションに就いた今ならわかる。部下の顔に「自分はあなたに何の興味も尊敬の念も抱いていません。たまたまポジションが上だからヘイコラしてるんです」と書いてある気がすることがあるからな。

気を使うより頭を使え

岩下　人間関係に苦労している頃、尊敬する大先輩のコンサルタントがくれたのが、「気を使うな、頭を使え！」という一言だ。言われたときはわからなかったが、1年くらいしてスーッとわかった。ようするに企業戦略と同じだということだ。

朝倉　企業戦略と同じ？　どういうことだ。

岩下　たとえば銀行員がお追従いっぱいの顔付きで、どこにでもある個人ローンの商品を売りに来たらどう思う。

朝倉　よくあるね。俺はすぐに断る。「私にどんなメリットがあるんですか。説明してください」と言って、追い返すことにしているよ。

岩下　メリットのない商品を売りにこられても、忙しいビジネスパーソンは相手にし

ないものだ。人間関係も煎じ詰めれば一緒じゃないか？

朝倉　人間関係もすべて、ギブ・アンド・テイクの精神が基本だってことか。お互いが付き合うメリットがクリアで、はじめて人間関係が構築できる。気を使うよりも、どうしたら先方の役に立つかを一生懸命考えろと。

岩下　そうなんだ。私がクライアントに総スカンを食らったのは、「何が悪い」は大声で指摘するが、「どうしたらよい」の部分が弱かったからだ。ここに気づいてからは、「どうしたらよくなるか」を中心に考えるようになった。最近はちょっとしたインタビューでも、この30分で相手の役に立つことを何か探そう、そうしてアドバイスしようと努力している。決して人付き合いのスタンスを変えたわけじゃない。相変わらず厚かましい物言いをするけれども、クライアントとの関係はとっても健全になった。先ほどの銀行員の例だが、今度は「あなたにこういうメリットがあります」と売りこんできたらどうする？

朝倉　一応話は聞くと思う。そのメリットが今までにないもので、本当にメリットがあるんだったら買うかもな。

第五章　自分を変える戦略

岩下　そう、そこにもうひとつのツボが隠れている。「今までにないもの」、すなわち独自性の視点。企業経営戦略の根幹は「差別化」だ。同じものなら安く、同じ値段なら良いものを供給しないと、企業は生き残れない。人間関係も同じだ。自分だからこんなメリットを届けられる、という差別化を常に意識しないといけない。

そのためには、顧客＝相手の顕在ニーズだけじゃなくて、心の奥にある潜在ニーズまで発掘することだ。まずは、相手の生活スタイル全体を把握する必要がある。好奇心を持って相手を観察してはじめて、この人にはこんなことをしてあげる、あるいは言ってあげると役に立つはず、という思考に到達するものだ。

①いつでも相手には強い好奇心を抱く、②相手からも何かを学ぶ姿勢を忘れない、③学んだことをひとひねりして自分ならではの付加価値を考える、という3つを心がけると、自然と相手に敬意を払うようになる。興味を持つうちに、人間は高い確率で相手が好きになるし、そうすると相手にも好いてもらえる。良い人間関係が築けるわけだ。

朝倉　考えてみると東部電機でも、出世する人は「気を使う人」ではなくて「頭を使

う人」だ。社内では付き合いが長い分、自然体でも相手の深層ニーズが摑みやすいだけで、原則は一緒か。外の世界ではこの深層ニーズを、限られた時間で効率的に把握しなければいけないんだね。

岩下　私の仕事では、インタビューをして情報を集めることがある。1時間くらいで相手の本音に迫らなければいけない。取材術は必須だが、根本は人間関係構築術と一緒だ。短い時間に良い質問をして、相手と同じ土俵に上がり、深層を把握する。

1時間のインタビューなら、50分くらいは相手の経験やしゃべりたいことを一生懸命聞くんだ。そこで得た断片情報から、相手の人となりやニーズについての仮説を立てて、質問をぶつける。50分で意気投合してから「すいません」とこちらの聞きたいことを尋ねて、最後にはおせっかいにも、この1時間私と話してよかったと思っていただくためのアドバイスなり情報伝達なりをする。インタビューは、相手のニーズ・こちらの聞きたいこと・相手のメリットについて、同時進行で脳内処理をしなくてはならないから大変だ。1時間でくたくたになるね。

人間関係は企業のマーケティング戦略になぞらえて実行すればいい。コミュニケーシ

第五章　自分を変える戦略

朝倉　ありがとう。君たちのおかげで、次のステップを考える勇気がわいてきた。

阿部　そうか、あの話を受けてくれるか。

朝倉　早まりなさんな。まずは、しっかりとインタビューを受けてみようと思う。家族IR活動と併行してね。

岩下　企業経営を考えるツールとしての「戦略」は、我々自身のマネジメントにも応用できることがわかってきただろう。ノーベル経済学賞を受賞したシカゴ大学のゲーリー・ベッカー教授は「人的資本理論」という理論体系を用いて、人間の全ての行動をキャッシュフローの極大化で説明しようとした。彼は犯罪分析、教育経済学などいろいろな分野で大きな功績を残した。

我々も企業戦略を人生に適用して、「自分を変える戦略」の体系を構築できるかもしれない。企業戦略との類似性は明白だ。企業はまずビジョンとしてステークホルダーのバランスを考えた大方針を作る。競争に勝ち、そのビジョンを達成するためには、差別化戦略の立案が鍵になる。そして差別化を実現するために、有限な経営資源の最適配分

173

を決める。この過程で捨てる戦略が実践される。

40代のビジネスパーソンも同じだ。まず新しい目でステークホルダーとの関係をみつめなおし、人生のビジョン（ありたい姿）を決める。40代の典型的ホワイトカラーが勝ち残るための差別化戦略は、人間関係マネジメントの中で構築される。また時間資源の制約は歳を重ねるごとに明らかになるから、資源配分戦略すなわち仕事と時間のマネジメントが戦略実行上の鍵を握る。有限な時間資源の中で最大限の効果を刈り取る作戦、それが勝ち残りの鍵になるんだろうな。

終　章　決断

　朝倉は阿部の勧めるままに採用面接に臨んだ。件のエレクトロニクス会社の社長、主要幹部のみならず、阿部の勤める外資系メーカーの外人幹部とも面接をした。相変わらず英語はぱっとしなかったが、しどろもどろにはならずにすんだ。ビジネスの話ならなんとかできそうだった。面接では分析力が問われていたようだが、一生懸命頭を使うことに意識を集中したせいか、けっこう楽しめた。手ごたえ十分ではないが、初めての転職面接にしては上出来だろう。
　面接が終わり、朝倉は応接室で阿部と会った。
阿部　良かったよ、君を紹介して。評価が良くてね。誠実な実務家という受け止め方をしてくれたようだ。

朝倉　でも英語はまだまだだし、考える力も分析力も発展途上だ。自分の実力のなさを痛感したよ。そんなにひどくはなかったと思うが、とても高く買ってもらえるような面接結果とはいえないと思うけどね。

阿部　友人だからはっきり言う。確かに実現可能性からすれば、君よりも評価の高い候補は複数いたよ。でも我々が一様に君に惹かれたわけは、学習意欲の強さだ。君が今までの経験に安住することなく、殻を破って自分のスタイルを作ろうとしている姿勢が、我々の幹部に好印象を与えたんだ。君は伸びるかもしれない、君にかけてみたい、と僕の上司は言っていた。早く決めてくれよ。ご家族の反対が障害なのか？

朝倉　いや、家族は賛成してくれた。拍子抜けしたよ。

阿部　家族ＩＲの勝利か。

朝倉　それは確かに役に立ったけれど、あいつらも思った以上によく世間を勉強しているようでね。このまま俺が「大企業のサラリーマン」でいることに不安を感じていたらしい。

阿部　じゃあ何の問題もないじゃないか。早くイエスといってくれよ。朝倉と働ける

終章　決断

なんて、楽しくなるな。

朝倉　ちょっと待ってくれ。まだ気持ちの整理がついていない。迷惑をかけない範囲で急いで答えを出すから、あと1週間ほしい。

阿部　1週間か、それなら大丈夫だ。他の候補者も君と僅差で残っているらしいのでも君がいいんだ。頼むよ、決めてくれ。悪い思いはさせないから。

朝倉　わかった。

実のところ、朝倉は転職に乗り気ではなくなっていた。それなりの評価を得られたことは望外の喜びだった。確かに、今の実力そのものが評価されたわけではない。岩下、阿部に指導を受けたし、その後も研鑽に励んでいる。しかし、そう簡単に自分が変わるわけはない。それでも学習する姿勢が評価してもらえた。

四捨五入で50歳になるにあたって、最初に感じたのは、ビジネスマン人生の終末に向けての足音であった。総仕上げとして、自分に欠けているスキルを補おうという期待から、新橋ビジネススクールに学んだわけだ。

どういう方針で何を勉強するのか。それも厳しい時間的制約の中で、どう優先順位をつけるか。岩下と阿部は、その方法論について「戦略」的考え方から解き明かしてくれた。その結果、不思議なことに、また勉強してやろうという意欲が自然に養われてきた。今の朝倉は、終末に向けて走る朝倉ではない。新しいスタートを切るにあたっては、新しい刺激と環境に身をおく。論理的には至極当然の結論になりそうだった。

しかし、熱い気持ちの盛り上がりを感じない。声がかかったこと、面接での評価が良かったことは素直に嬉しい。誇りにもなる。しかし、それだけであった。リスクを恐れるわけではない。阿部もいる。条件も悪くない。予想に反して、給料は上がりそうだった。力もつくだろう。

なぜだろう。なぜ、気持ちが盛り上がって行かないのだろう。自らに何度も何度も問いかけた。答えの見つからない朝倉は、岩下を呼び出した。

朝倉 例の転職の話だが、先方からオファーが出たんだ。
岩下 そりゃ良かった。阿部が喜んでるだろう。
朝倉 でもな、あまり気が進まないんだ。理由はわからない。転職のオファーをもら

終章　決断

ったことには満足している。でもいざとなったら、急に東部電機がいとおしい気持ちになってしまってね。論理的には変だ。とくに岩下から見ればバカみたいだろう。

岩下　君は、背中を押してほしいのか。それとも引き止めてほしいのか。

今日の岩下は、いつもの戦略コンサルタントの顔ではなかった。そういう仮面を脱いだ、懐かしい元同僚の岩下だった。

岩下　私も辞めたくなかったんだよ。東部電機を。
朝倉　えっ。
岩下　私はたくさんのものを失った。思い出、仲間――、そして本当の挑戦の機会を。
朝倉　でも、たくさん手にしたじゃないか。スキルに地位、金だって。
岩下　私がコンサルタントを続けている理由は、日本企業に貢献できるからだ。東部電機でできなかったことを他でやりたいだけだ。東部電機を辞めるとき、尊敬する先輩が言ってくれた。「修行して、もう一度戻って来い」と。今でも半分本気で、そんな機会が訪れることを待っている。

以前、我々40代は変革真空層だと言ったね。その一方で、昔の日本企業と新しい日本企業を等距離で見られる、面白いポジションにいるんだとも言える。

朝倉　確かに入社してからの最初の10年、1981年から1991年前後は、日本企業が世界に冠たる存在だったといわれた時期だった。終身雇用、中長期志向――、それらが日本企業の強みとされていた。そこから先は、ダメ企業といわれ続けた10年だ。

岩下　そして今、日本企業は次の10年の新しい経営モデルを創造する出発点に立っている。米国企業不敗神話にも翳りが出てきた。成功するか失敗するかわからないが、新しい何かが始まるだろう。良いときと悪いときの両方を知る我々が、新しい時代を作るリーダーになるんだ。新橋ビジネススクールを開いたのは、朝倉をもう一度、出発点に持って行くよう刺激するためだ。自信と挑戦する気持ちを与えたかったなんだ。

朝倉　岩下、君はその日本企業の次なる経営モデルの創造に携わりたいわけだね。

岩下　私は焦っただけさ。良い10年の日本企業勤務で、「これじゃいけない。自分はスポイルされてしまう」という意識から転職を決意したんだ。でも、いつか故郷の東部電機で改革をやり遂げたいという意識はずっと持ってきた。昔気質の義理人情の世界も

終章　決断

新しいドライな経済合理主義の世界も、両方理解できるのが我々の世代だからね。でも、ついつい義理人情の世界に引っ張られるんだよ。

朝倉　自分も、何か大事なことをやり残した気分だ。それで、転職に強い魅力を感じないんだと思う。

岩下　朝倉、辞めるな。東部電機で挑戦してくれ。阿部だって君の気持ちはわかってくれるさ。「会社を変える」戦いに参戦してくれ。君も日本企業も東部電機も、新しい出発点に立ったばかりだ。私が果たせなかった、故郷を変えるという役割を担ってくれ。それが君に与えられた使命だと思うよ。

朝倉　岩下。ありがとう、引き止めてくれて。君らのおかげで、もう一度挑戦する気持ちになれたようだ。未知の世界を探求して新しいものを創造する。そんな課題をぼんやりと感じるようになった。45歳は終末ではない、始まりだったんだ。そんな気持ちになったよ。

あと何年、一線で勝負できるかわからない。もしかすると残された時間は、たかだか2〜3年かもしれない。でも最後まで、会社を変え、自分を変える旅を続ける決心がつ

いたよ。その舞台は、これから変わって行く日本企業にしかないんだ。東部電機でもいいし、関連子会社でも、あるいは出向先・転籍先でもいい。

俺は前を向いて、この人生を日本企業の変身のために捧げたい。君から教わった学習の姿勢は、一生忘れないと思う。お互い役割は違うが、精一杯頑張ろう。「我々40代が、日本を再生させる」んだからな！

【参考文献・推薦図書】

●第一章
『コーポレート・ファイナンス（第六版 上下）』リチャード・ブリーリー、スチュワート・マイヤーズ著、藤井眞理子、国枝繁樹監訳（日経BP社）

●第二章
『新版現代心理学入門』末永俊郎編（有斐閣双書）
『ひろさちやのはじめて読む密教の本——人生にゆとりと幸福をもたらす智恵』ひろさちや著（大和出版）

●第三章
『ラ・ロシュフコー箴言集』二宮フサ訳（岩波文庫）

●第四章
『シンボルの世界』デイヴィッド・フォンタナ著、阿部秀典訳（河出書房新社）
『色と形の深層心理』岩井寛著（NHKブックス）
『自分を知るための哲学入門』竹田青嗣著（ちくま学芸文庫）

『ユングの心理学』秋山さと子著（講談社現代新書）

『ユング心理学入門——現代人の心の安息地を求めて』山根はるみ著（ゴマブックス）

● 全章を通じて

『会社を変える戦略——超ＭＢＡ流改革トレーニング』山本真司著（講談社現代新書）

『最強の経営学』島田隆著（講談社現代新書）

『脱皮できない蛇は死ぬ——クリエイティブ・カンパニーへの道程』堀紘一著（プレジデント社）

『21世紀の企業システム——変われ日本人 甦れ企業』堀紘一著（朝日文庫）

『孤高の挑戦者たち——バッテル研究所—現代のピタゴラス集団』今北純一著（日本経済新聞社）

『「知」のソフトウェア』立花隆著（講談社現代新書）

おわりに

　最近、日本企業にお勤めのかつてのクライアントとお会いする機会が増えている。40代後半から50代前半がほとんど。多くは、第二の人生への旅立ちにあたってご挨拶に見える方々である。
　次の職場への期待でいっぱいの方もいらっしゃる。しかしほとんどは、言い知れない不安を抱いておられるようにお見受けした。転職経験2回の筆者からすれば、「何とかなります。環境が変わるのは楽しいものですよ」と言って差し上げたいが、不安そうなお顔を拝見していると、そんな気楽な言葉はかけづらい。いずれも優秀な頭脳と立派な人格をお持ちで心配は無用に思えるが、初めての転職への不安とちょっとした自信喪失の雰囲気が伝わってくるケースが多かった。

多数の40代半ばのサラリーマンとも親しくお付き合いさせていただいている。そのうち何人かは、今すぐにでも弊社でコンサルタントとしてバリバリ働いていただきたいほどの実力をお持ちになっておられる。しかし、そういう話をしても乗ってくる方は皆無である。弊社に問題があるのか、どうして新しい世界へ挑戦なさらないのかとうかがうと、決まって出てくるのが「自信がない」というフレーズである。そんなことはない、絶対に大活躍できる。そういう私の見立てをうまくお伝えできないままでいる。

一般的に外資系コンサルティング会社は、30代前半までのMBAと新卒しか採用しないと誤解されているようだ。しかし筆者の勤める会社では、MBAを取得していない社員もたくさんいる。40代の新人もいる。皆、優秀だ。当初は不安そうな表情だった社員の多くがコンサルタントとして成功し、いまや自信満々の表情でのびのび働いている。

「MBAがないから。英語が苦手だから。コンサルタントのような売り物になるスキルを訓練していないから――」、そんな理由で自信をお持ちでないのかもしれない。こんな"仮説"を設定して、「そんなことはない。皆さんはすぐに変われる。自信たっぷりのどこでも通用するビジネスパーソンに変われる。それはスキルを身につけることでも、

おわりに

資格を取得することでもなく、できるんだという意識に変えていただくことで可能になる」という思いを伝えるために本書を書き下ろした。

実際、この14年の外資系暮らしで一番悩み、苦労したのは能力でもスキルでもない。自分の意識のマネジメントであった。いつでも自分の目を信頼できるように、澄んだ安定した心をいかなるときにも維持することが、最大の挑戦であり続けている。「自信喪失気味だ」という自覚症状をお持ちの40代の方々が、本書によって挑戦する気持ちを取り戻し、自己信頼を強め、自立に向けてちょっと行動を起こしてみようかという気持ちになることを期待している。つまり、「この程度の基本スキルでコンサルタントをやれるのか」「このくらいなら自分でもできる」「それなら、ちょっとやってみようか」という意識を持っていただくことが目的である。

本書で取り上げたキーワードは「戦略」である。日ごろクライアント企業の「戦略」を立案してきたその技術を、「思考法」「分析手法」「コミュニケーション技術」「時間管理法」「人間関係構築術」に応用すると、新しい40代なりの習得すべきスキルについての考え方が見えてきたように感じていた。本書では筆者の体験から、こうした諸スキ

ルについて「戦略」の視点から説明を加えた。

同時に包丁一本で仕事をしてきた身分の不安定な外資系コンサルタントである筆者が、何を考え何に苦しみ、何をしようとしているのか。それを皆様にお伝えしたかった。さして能力の高くない筆者が、気構えと自立するという意識、そしてビジネスの世界で生きていく幾ばくかの知恵で、なんとか生きている姿を正直にお伝えしたかった。

ただし力量の限界もあり、どこまで目的を達せる本に仕上がったかについては正直言って自信がない（自信を持てという主張の筆者が、自信がないといってはいけないが）。

おわりに、この場を借りて、いろいろな方に感謝の意を表しておきたい。最初の転職先のボストンコンサルティンググループで私を鍛えなおしてくださった大恩人の堀紘一（現在ドリームインキュベータ代表取締役社長）、島田隆（現在A・T・カーニー、ヴァイス・プレジデント）、井上猛（現在ドリームインキュベータ代表取締役CFO）の三氏に格別の謝意を表させていただきます。

また、以来常に筆者を導いてくださるボストンコンサルティンググループ時代の懐かしい先輩や仲間たち、安藤佳則、川上陸司、佐藤勇樹、三宅孝之はじめ、A・T・カ

おわりに

ニーの同僚や若い方々、一橋大学大学院教授の安田隆二、同志社大学大学院教授の田中讓、ローソン代表取締役社長執行役員新浪剛史、武藤篤、カーディフ保険グループ日本代表青木淳の諸氏をはじめ、皆様の長年にわたる暖かいご指導のおかげで、なんとか本書を書きあげることができました。どうもありがとうございました。

そもそも企画を投げかけてくれた、筆者のよき相談相手A・T・カーニーの寺尾健治、新潮社後藤ひとみの両氏のご支援なしに本書は生まれませんでした。少しでも読者の皆様にお役に立てるところがございましたら、おふたりのおかげです(役に立たないところの責任はすべて筆者にあることは当然です)。

2003年　筆者45歳の誕生日に

山本真司

山本真司　1958(昭和33)年、東京生まれ。慶應義塾大学経済学部卒業、シカゴ大学経営大学院で修士号（MBA with honors）取得。東京銀行などを経て、ベイン・アンド・カンパニー、パートナー。

Ⓢ新潮新書

058

40歳からの仕事術

著者　山本真司

2004年 3月20日　発行
2016年10月25日　13刷

発行者　佐藤隆信
発行所　株式会社新潮社
〒162-8711　東京都新宿区矢来町71番地
編集部(03) 3266-5430　読者係(03) 3266-5111
http://www.shinchosha.co.jp

印刷所　株式会社光邦
製本所　株式会社植木製本所
Ⓒ Shinji Yamamoto 2004, Printed in Japan

乱丁・落丁本は、ご面倒ですが
小社読者係宛お送りください。
送料小社負担にてお取替えいたします。
ISBN978-4-10-610058-1 C0236
価格はカバーに表示してあります。

Ⓢ 新潮新書

485 外資系の流儀　　佐藤智恵

初日からフル稼働を覚悟せよ、極限状態での長時間労働に耐えよ、会社の悪口は「辞めてから」──。刺激的な環境を生き抜くトップエグゼクティブやヘッドハンターに学ぶ仕事術！

569 日本人に生まれて、まあよかった　　平川祐弘

「自虐」に飽きたすべての人に──。日本人が自信を取り戻し、日本が世界に「もてる」国になるための秘策とは？　東大名誉教授が戦後民主主義の歪みを斬る、辛口・本音の日本論！

624 英語の害毒　　永井忠孝

会話重視、早期教育、公用語化──その"英語信仰"が国を滅ぼす！　気鋭の言語学者がデータにもとづき徹底検証。「日本英語はアメリカ英語より通じやすい」等、意外な事実も満載。

649 イスラム化するヨーロッパ　　三井美奈

押し寄せる難民、相次ぐテロ事件、増え続ける移民、過激派に共鳴する若者、台頭する民族主義、失われゆく伝統的価値観──欧州が直面する「文明の衝突」から世界の明日を読み解く！

654 学者は平気でウソをつく　　和田秀樹

信じる者は、バカを見る！　「学者はエラい」なんて、20世紀の迷信だ。医療、教育、経済など、あらゆる分野にはびこる「学者のウソ」に振り回されないための思考法を伝授。